Copyright
E. P. P. La Bonne Cuisine à la portée
de tous.

Nous remercions les Editions Presse
Professionnelle Editeur de la publica-
tion bimestrielle « La Bonne Cuisine
à la Portée de Tous » de nous avoir
cédé les documents et autorisé à les
reproduire.

© Éditions Jean-Pierre Delville
40, Rue du Four
75006 — Paris
Tél. (1) 222-72-90

ISBN: 2.85922.035.6

cuisine
au four

ÉDITIONS ELVILLE

PREFACE

Vous aimez la cuisine dorée, gratinée, tout en douceur, les parfums subtils, indiscernables mais combien importants, pénétrant les mets en profondeur, les imprégnant, cuisant en communion.

Ces nouvelles "106 recettes" regroupent des recettes originales, succulentes, quelques-unes sont plus classiques, mais elles vous permettront de composer des repas harmonieux et "gustatifs" avec juste ce qu'il faut d'inhabituel pour donner une note personnelle à votre cuisine. Les poissons savoureux à la chair parfumée, comme le "colinot aux câpres", la "dorade au basilic"; les volailles croustillantes, tels le "chapon farci aux truffes", la "pintade farcie sous la peau"; les viandes rouges comme "l'aloyau aux petits légumes", le "filet de bœuf périgourdine"; les viandes blanches moelleuses, la "noix de veau à la favorite" ou le "porc au chou et aux pruneaux", accompagnées de légumes mijotés, gratinés, tous plus délicieux les uns que les autres. N'oubliez pas le "Tian de bœuf aux courgettes", plat complet et savoureux qui vous enchantera. Vous vous servirez de nos petites marmites suivant le temps que vous pourrez consacrer à ces recettes, une marmite, deux marmites, c'est facile, trois marmites, ce sont les petits plats dans les grands, des recettes pour les réunions de parents, d'amis, de joyeuses et gastronomiques agapes qui raviront tous vos invités. Bon appétit !

Marie-Cloé

INDEX ALPHABETIQUE

INDEX
PAR SERVICE

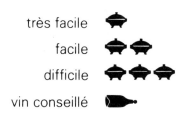

très facile 🍲

facile 🍲🍲

difficile 🍲🍲🍲

vin conseillé 🍾

Préparation : 20 mn
Cuisson : 40 mn

pour 4 personnes

Une épaule d'agneau non
désossée
60 g de beurre
2 cuillerées à soupe
d'huile
un kilo de petites
pommes de terre nouvelles
2 gousses d'ail
2 cuillerées à soupe
de persil haché
4 belles échalotes
une tasse à thé
de mie de pain très rassis
finement émiettée
sel et poivre

■ Faites chauffer 40 g de beurre et l'huile dans un sautoir, jetez-y les pommes de terre nouvelles et faites-les revenir à feu pas trop vif en les secouant. Pour les retourner, n'utilisez pour cela ni cuillère, ni fourchette, ce qui les écraserait.

■ Enduisez l'épaule d'agneau de beurre, assaisonnez-la, faites-la cuire à la broche dans la rôtissoire ou au four bien chaud. Comptez 15 minutes de cuisson par livre de viande.

■ Hachez très finement l'ail et les échalotes, mélangez ce hachis avec le persil et la mie de pain.

■ Quand les pommes de terre sont cuites et bien dorées, assaisonnez-les, ajoutez-leur le hachis d'herbes et de mie de pain, secouez pour mélanger et laissez dorer la mie de pain.

■ Dressez l'épaule sur le plat de service préalablement chauffé, entourez-la avec les pommes de terre et servez en même temps une salade verte.

    un médoc

Préparation : 30 mn
Cuisson : 1 h

pour 6 personnes

Un kilo de filet d'agneau
4 cuillerées à soupe
d'huile d'olive
3 oignons, 2 gousses d'ail
une cuillerée à dessert
de cannelle
une autre de « ras el hanout »
(épices à couscous)
une cuillerée à café
de curcuma
2 boîtes de sauce
à la tomate fraîche
50 g de raisins secs
50 g de pignons
sel et poivre

Pour la garniture :
300 g de riz
une pincée de safran
50 g de raisins secs
30 g de pignons
quelques brins de persil

■ Préparez la sauce : faites bien dorer les oignons émincés dans l'huile chaude, ajoutez les gousses d'ail écrasées et, quand elles commencent à blondir, les épices : cannelle, « ras el hanout » et curcuma. Ajoutez la sauce à la tomate fraîche et un demi-litre d'eau bouillante. Salez. Faites partir l'ébullition avant de jeter dans cette sauce les raisins secs et les pignons. Laissez cuire encore une heure à petit feu : la sauce doit devenir épaisse et brune.

■ Pendant ce temps, faites chauffer le gril du four sous lequel vous glisserez le filet de mouton huilé et assaisonné. Retournez-le souvent si vous n'avez pas de broche. Laissez cuire 30 minutes.

■ En même temps cuisez le riz dans 2 fois son volume d'eau additionnée du safran. A mi-cuisson, ajoutez les raisins secs et les pignons, assaisonnez. Egouttez le riz et façonnez-le en boulettes.

■ Dressez le filet d'agneau sur le plat de service et nappez-le avec la sauce. Disposez autour les boulettes de riz et garnissez de persil. Servez très chaud.

    un côtes-de-Provence rosé

AGNEAU A L'OCCITANE

AGNEAU SAUCE MAROCAINE

Préparation : 30 mn
Cuisson : 25 mn

pour 4 personnes

600 g d'aiguillette de bœuf
100 g de beurre
30 cl de chinon
15 cl de fond de veau
ou 15 cl de bouillon de volaille
dans lequel on aura dilué à froid
une demi-cuillerée à café de
fécule
4 poires
un demi-litre d'eau
100 g de sucre
sel et poivre

■ Allumez le four th 7-210°. Faites fondre 30 g de beurre dans une sauteuse sur feu vif, ajoutez l'aiguillette. Laissez-la dorer puis retournez-la sans la piquer. La viande doit être juste saisie sur les deux faces. Retirez-la et mettez-la dans un plat à four. Salez, poivrez. Enfournez et comptez 15 minutes de cuisson. Faites bouillir le chinon dans une casserole pour qu'il réduise de moitié. Jetez le beurre de la poêle, déglacez avec le chinon réduit et le fond de veau ou le bouillon et faites réduire à nouveau de moitié. Vous devez obtenir 15 cl de fond de sauce.

■ Pendant ce temps, pelez les poires. Coupez-les par moitiés et retirez les cœurs et les pépins. Versez l'eau et le sucre dans une casserole. Faites-y pocher les poires à petits bouillons pendant 8 à 10 minutes jusqu'à ce qu'une lame de couteau y pénètre sans résistance. Egouttez-les.

■ Versez le fond de sauce dans le bol du mixer, ajoutez deux moitiés de poire pochées et coupées en morceaux. Mixez et reversez la sauce dans une casserole sur feu doux. Ajoutez ensuite le reste de beurre par petits morceaux en remuant avec la cuillère en bois. Rectifiez l'assaisonnement.

■ Découpez l'aiguillette en tranches fines et disposez celles-ci sur un plat de service chaud. Détaillez les autres moitiés de poires en lamelles en leur conservant leur forme, et posez-les au fur et à mesure sur le plat. Poivrez-les au moulin. Nappez le fond du plat et le cœur des poires avec un peu de sauce et présentez le reste en saucière. Décorez avec des petites touffes de persil. Servez chaud.

 un chinon

N.B. : Hors saison, on peut utiliser des poires au sirop réchauffées dans leur jus

---

Préparation : 1 h
Cuisson :
40 mn pour une viande saignante
50 mn pour une viande plus cuite

pour 6 à 8 personnes

un kilo 800 d'aloyau
(pris dans la pointe du faux-filet
et désossé)
100 g de beurre
un petit chou-fleur
une botte de carottes nouvelles
une botte de navets
500 g de haricots verts

Pour la sauce :
les parures de la viande
un os de veau coupé en deux
une carotte moyenne
un gros oignon ou 2 petits
une tomate
5 ou 6 queues de persil
un petit brin de thym
25 cl d'eau
10 cl de madère
une cuillerée à soupe d'huile
100 g de beurre

■ Préparez le fond de sauce. Epluchez puis émincez finement la carotte et l'oignon. Lavez et coupez la tomate en morceaux en éliminant les pépins. Chauffez l'huile avec 20 g de beurre dans une casserole à fond épais et lorsque le mélange est bien chaud, jetez-y les parures de la viande et l'os de veau. Faites-les bien rissoler en remuant. Ajoutez ensuite la carotte et l'oignon. Laissez-les dorer, mouillez avec l'eau. Grattez le fond de la casserole pour décoller les sucs. Ajoutez la tomate, les queues de persil, le thym, du sel et du poivre. Faites cuire et réduire cette sauce de moitié, à petit feu à découvert, pendant 30 minutes. Ecumez pour retirer les impuretés.

■ D'autre part, épluchez et lavez les légumes. Détaillez le chou-fleur en bouquets. Faites-les blanchir à l'eau bouillante pendant 10 mn, égouttez-les et plongez-les dans une autre casserole d'eau bouillante salée. Achevez la cuisson doucement 10 mn environ. Egouttez-les, arrosez-les avec 50 g de beurre fondu et réservez-les au chaud. Faites cuire les haricots verts 20 mn à l'eau salée sans les couvrir, ainsi que les carottes et les navets pendant 10 à 15 mn dans une casserole en les recouvrant d'eau froide avec une pincée de sel, une pincée de sucre et 50 g de beurre.

■ Préchauffez le four au maximum. Salez et poivrez l'aloyau, mettez-le sur une grille et glissez celle-ci dans le four au-dessus de la lèchefrite. Retournez l'aloyau à mi-cuisson sans le piquer. Passez la sauce au chinois, ajoutez le madère. Laissez chauffer sans bouillir puis incorporez le reste de beurre froid en petites parcelles avec le fouet. Rectifiez l'assaisonnement.

■ Pour découper l'aloyau, coupez la pièce de viande en deux. Découpez ensuite chaque moitié dans leur longueur et rangez les tranches sur un plat de service chaud. Nappez-les de sauce et entourez-les avec les petits légumes. Décorez avec une touffe de persil. Présentez le reste de sauce en saucière et servez chaud.

 un côte-de-Beaune

AIGUILLETTE DE BŒUF AUX POIRES

ALOYAU AUX PETITS LÉGUMES

Préparation : 15 mn
Cuisson : 40 mn

pour 5 personnes

5 andouillettes
3 échalotes
2 verres de vin blanc sec
60 g de beurre
2 cuillerées
à soupe de moutarde
une tasse à thé de bouillon
persil
sel et poivre

■ Piquez les andouillettes pour qu'elles n'éclatent pas à la cuisson. Beurrez largement un plat allant au four, garnissez le fond avec les échalotes hachées, posez les andouillettes dans ce plat, arrosez-les avec le vin, laissez cuire à four très chaud (th. 8). Retournez-les plusieurs fois. En fin de cuisson, elles doivent être dorées et le vin doit être complètement réduit.

■ Disposez les andouillettes sur le plat de service.

■ Déglacez le plat de cuisson avec le bouillon, ajoutez la moutarde, laissez bouillir un instant. Nappez les andouillettes avec cette sauce, saupoudrez de persil haché. Servez très chaud.

  un beaujolais

Préparation : 30 mn
Cuisson : 1 h

pour 6 personnes

6 beaux artichauts
un demi-citron
200 g de champignons
2 escalopes de veau
2 oignons
60 g de beurre
une cuillerée à soupe rase
de farine
une tasse à thé de bouillon
un petit verre de madère
une cuillerée à soupe
de persil haché
sel et poivre

Pour la sauce :
50 g de beurre
50 g de farine
un quart de litre de lait chaud
150 g de fromage râpé
sel et poivre
une pointe de muscade râpée

■ Parez les artichauts, coupez les feuilles en ne laissant que 2 à 3 cm à la base. Retirez le foin a l'aide d'une petite cuillère, citronnez-les pour qu'ils ne noircissent pas et faites-les cuire à l'eau bouillante salée 30 minutes environ.

■ Retirez la partie sableuse du pied des champignons, lavez-les rapidement, épongez-les puis coupez-les en petits dés ainsi que les escalopes de veau.

■ Épluchez et hachez finement les oignons. Faites-les blondir dans 40 g de beurre, ajoutez-leur d'abord le veau, attendez qu'il dore à son tour avant d'y joindre les champignons.

■ Dès que tous les éléments sont bien dorés, saupoudrez-les avec la farine en mélangeant à la cuillère de bois. Mouillez peu à peu avec le bouillon et laissez s'épaissir la préparation. Incorporez ensuite le madère et le persil haché. Assaisonnez.

■ Égouttez les artichauts avec soin, réservez 25 cl de leur bouillon de cuisson.

■ Préparez la sauce : faites un roux blanc avec le beurre et la farine. Dès qu'il mousse, versez peu à peu le lait chaud puis le jus de cuisson des artichauts. Laissez cuire 10 minutes puis ajoutez la moitié du fromage râpé. Assaisonnez de sel, de poivre et de muscade râpée.

■ Garnissez les artichauts avec la préparation à base de veau. Dressez-les dans un plat à gratin beurré, nappez-les avec la sauce, saupoudrez de fromage râpé et arrosez avec le reste de beurre préalablement fondu. Faites gratiner 10 minutes au four.

  un côtes-du-Rhône

ANDOUILLETTE VIGNERONNE

ARTICHAUTS AU GRATIN

Préparation : 30 mn
Cuisson : 40 mn

pour 4 personnes

un kilo d'asperges
4 tranches de jambon blanc

Pour la sauce :
50 g de beurre
40 g de farine
25 cl de crème fraîche
80 g de fromage râpé
une petite pincée de noix
de muscade râpée
sel et poivre

■ Faites bouillir de l'eau dans une petite marmite, salez-la.

■ Épluchez les asperges avec soin, coupez-les toutes de la même longueur en ne conservant que la partie tendre de la tige. Plongez-les, pointes en l'air, dans l'eau bouillante. Laissez-les cuire environ 20 minutes.

■ Préparez la sauce. Faites fondre le beurre dans une casserole, versez-y la farine et mélangez bien avec la cuillère en bois. Quand ce roux blanc commence à mousser, mouillez-le avec 4 dl du bouillon dans lequel ont cuit les asperges. Laissez cuire, 10 minutes, en continuant de remuer. Ajoutez alors la crème, donnez un bouillon et retirez la casserole du feu. Incorporez 50 g de fromage râpé. Goûtez et rectifiez l'assaisonnement avec sel, poivre et muscade.

■ Égouttez les asperges, divisez-les en 4 bottes. Entourez la base de chaque botte dans une tranche de jambon. Placez-les côte à côte, dans un plat à gratin beurré, nappez le milieu des asperges avec la sauce, saupoudrez celle-ci avec le reste de fromage.

■ Glissez le plat sous le gril du four et laissez gratiner. Servez dans le plat de cuisson, dès la sortie du four.

 un alsace

Préparation : 30 mm
Cuisson : 45 mm

pour 6 personnes

Un kilo d'aubergines moyennes
une tasse de farine
un verre d'huile d'olive
un demi-litre de sauce tomate
bien assaisonnée
6 œufs durs
150 g de gruyère coupé en fines
lamelles
50 g de gruyère râpé
sel et poivre

■ Lavez et essuyez les aubergines, ne les pelez pas. Coupez-les en tranches dans le sens de la longueur, rangez-les dans un plat, saupoudrez-les légèrement de sel fin et laissez-les dégorger.

■ Épongez les tranches d'aubergines, puis farinez-les. Chauffez l'huile dans une poêle, rangez-y trois ou quatre tranches d'aubergine et lorsqu'elles sont bien dorées sur une face, retournez-les. Égouttez-les ensuite et pressez-les entre deux feuilles de papier absorbant pour éponger l'excédent d'huile. Renouvelez l'opération jusqu'à ce que les aubergines soient toutes frites.

■ Prenez alors un plat allant au four, versez-y quelques cuillerées de sauce tomate puis rangez-y successivement une couche d'aubergines, des lamelles très fines de gruyère, des rondelles d'œufs durs, de la sauce tomate et de nouveau des aubergines. Continuez ainsi jusqu'à épuisement des éléments. Terminez par une couche de sauce tomate. Saupoudrez ensuite le tout de gruyère râpé et faites gratiner 10 minutes à four très chaud.

■ Servez bien doré dans le plat de cuisson.

ASPERGES AU GRATIN

AUBERGINES PARMESANES

Préparation : 45 min
Cuisson : 30 min

pour 4 ou 5 personnes

un bar de 1,300 kg vidé et prêt à cuire
6 artichauts, 2 tomates
un cœur de romaine
2 endives, 3 citrons
2 brins d'estragon
un bouquet de cerfeuil
un bouquet de persil
un sachet de gelée
sel et poivre
Pour le court-bouillon :
une carotte, un blanc de poireau
un oignon piqué d'un clou de girofle
une échalote, une gousse d'ail
un bouquet garni
2 dl de vin blanc sec
2 litres d'eau
Pour la mayonnaise :
un jaune d'œuf
25 cl d'huile de tournesol
ou d'arachide
une cuillerée à café de moutarde
une cuillerée à café de vinaigre de vin

■ Préparez un court-bouillon avec tous les éléments dans une poissonnière ou dans une cocotte. Faites-le cuire 30 minutes à petits frémissements puis laissez-le refroidir. Assaisonnez le bar intérieurement et glissez-y un bouquet d'herbes fraîches. Placez-le ensuite dans la poissonnière ou à défaut dans la lèchefrite du four. Mouillez avec le court-bouillon froid et couvrez. Si vous utilisez la lèchefrite, posez une grande feuille d'aluminium d'un bord à l'autre pour que la vapeur s'échappe le moins possible. Comptez 30 minutes de cuisson à four chaud th. 7 - 200°.

■ Pendant ce temps, dégagez les fonds d'artichauts. Otez les feuilles une à une puis avec un couteau bien aiguisé, supprimez les parties vertes qui subsistent ainsi que le foin. Jetez-les, au fur et à mesure, dans un saladier d'eau froide additionnée d'un jus de citron. Faites bouillir une marmite d'eau salée, ajoutez jus de citron et fonds d'artichauts. Egouttez cinq fonds dès que la pointe du couteau y pénètre avec une légère résistance, ceci au bout de 20 à 25 minutes. Laissez cuire le sixième encore 5 minutes, il doit être très tendre. Egouttez-le et coupez-le en morceaux. Préparez la mayonnaise dans un bol. Mixez les morceaux du fond d'artichaut tiède, ajoutez la mayonnaise et mixez à nouveau. Réservez au frais.

■ Retirez le bar et ôtez aussitôt toute la peau en le conservant entier. Placez-le sur le plat de service, laissez-le refroidir. Préparez la gelée et badigeonnez-en le bar avec un pinceau, à plusieurs reprises. Décorez le dessus de demi-rondelles de citron en les collant avec de la gelée. Pelez les tomates après les avoir trempées dans de l'eau bouillante. Coupez-les en petits dés en éliminant les graines. Lavez et épongez la romaine et les endives. Gardez les feuilles de romaine entières, émincez les endives. Disposez ces légumes autour du bar. Décorez avec des demi-rondelles de citron, de l'estragon, du cerfeuil et du persil. Servez avec la mayonnaise à l'artichaut.

 Non, les Bordeaux blancs ne sont pas tous doux et liquoreux. Ce plat sera l'occasion d'essayer un Graves blanc ou un Entre-deux-Mers qui fournissent à partir du sauvignon, des vins bouquetés, vifs et gais 8-9°.

Préparation : 30 mn
Cuisson : 50 mn

pour 6 à 8 personnes

250 g de foie de porc
250 g de chair à saucisse
une crépine de porc
4 oignons
250 g d'épinards
la partie verte de 4 feuilles
de bettes
une gousse d'ail
2 cuillerées à soupe de saindoux
50 g de raisins secs (facultatif)
un œuf
sel et poivre

■ Cette recette se prépare la veille pour le lendemain.

■ Mettez la crépine à tremper à l'eau froide.

■ Épluchez et hachez finement les oignons. Lavez les épinards et les feuilles de bettes. Épongez-les soigneusement puis hachez-les aussi, ainsi que la gousse d'ail et le foie de porc.

■ Faites fondre le saindoux dans une sauteuse. Versez-y les oignons hachés et lorsqu'ils sont fondus sans cependant être colorés, incorporez le hachis d'épinards et de feuilles de bettes. Mélangez à la cuillère en bois pour assécher la préparation. Après quelques minutes, ajoutez l'ail et le foie de porc hachés, la chair à saucisse et les raisins secs s'il y a lieu. Assaisonnez et faites revenir le tout en remuant à la cuillère de bois. Retirez ensuite du feu et liez la préparation avec l'œuf battu.

■ Allumez le four (th. 7, 220°).

■ Épongez la crépine, partagez-la en 6 ou 8 morceaux ainsi que la farce. Façonnez celle-ci en forme de boulettes puis enveloppez-les chacune dans un morceau de crépine. Placez-les bien serrées, les unes contre les autres, dans un plat en terre. Enfournez et laissez cuire jusqu'à ce que les caillettes soient bien dorées. Retirez-les du four et laissez-les refroidir.

■ Ces caillettes se dégustent froides le lendemain.

 un côtes-du-Rhône

BAR A LA MAYONNAISE D'ARTICHAUT

CAILLETTES ARDECHOISES

Préparation : 45 mn
Cuisson : 30 mn

pour 4 personnes

un carré d'agneau de 8 côtes,
préparé en forme de couronne
par le boucher
4 cuillerées à soupe d'huile
un kilo de courgettes
4 tomates
60 g de beurre
2 cuillerées à soupe de madère
5 cuillerées à soupe
de crème fraîche
2 cuillerées à soupe
d'estragon haché
sel et poivre

■ Lavez puis essuyez les tomates et les courgettes. Coupez les tomates par la moitié, saupoudrez-les de sel fin. A l'aide d'un couteau canneleur, ôtez un mince filet sur la partie saillante des courgettes et sur toute leur longueur. Coupez-les ensuite en rondelles épaisses.

■ Préchauffez le four thermostat 8, 9-250°. Badigeonnez d'huile le carré d'agneau avec un pinceau. Placez-le dans un plat à four. Enfournez. Après dix minutes de cuisson, arrosez la viande avec 30 g de beurre fondu, salez-la et poivrez-la. Remettez-la au four 15 minutes.

■ Pendant ce temps, plongez les rondelles de courgettes dans une casserole d'eau bouillante. Egouttez-les après 3 minutes d'ébullition et posez-les sur un papier absorbant. Retournez les tomates, ôtez les graines. Chauffez 2 cuillerées à soupe d'huile dans une poêle sur feu vif et rangez-y, côte à côte, les moitiés de tomates. Laissez-les bien dorer, puis retournez-les sur l'autre face. Assaisonnez-les. Faites fondre 30 g de beurre dans une sauteuse avec une cuillerée à soupe d'huile, ajoutez les rondelles de courgettes. Salez, poivrez. Remuez-les délicatement jusqu'à ce qu'elles soient bien chaudes.

■ Retirez le carré d'agneau sur un plat de service chaud, couvrez-le d'une feuille d'aluminium et laissez la viande reposer dans le four éteint. Déglacez le plat de cuisson avec le madère, en grattant les sucs de la viande avec une spatule ; faites réduire de moitié sur le fourneau. Dégraissez la sauce obtenue, incorporez la crème et faites bouillir pendant 5 minutes. Rectifiez l'assaisonnement. Versez la sauce dans une saucière chaude, ajoutez une cuillerée à soupe d'estragon haché.

■ Disposez les moitiés de tomates et les rondelles de courgettes autour du carré d'agneau. Saupoudrez ces légumes d'estragon haché. Servez le tout bien chaud avec la sauce.

 un lussac saint-émilion

Préparation : 45 mn
Cuisson : 2 h

Pour 8 personnes

2 kilos de carré de porc désossé
avec le filet mignon
une grande crépine de porc
4 cuillerées à soupe de moutarde
de Meaux
2 pincées ou 2 brins de thym
sel et poivre
aluminium ménager
ficelle de cuisine

Pour la garniture :
8 pommes de terre Roseval
ou BF 15
8 petits navets
4 courgettes
4 tomates
2 cuillerées à soupe d'huile d'olive
ou d'arachide

■ Allumez le four th 6 - 180°. Mettez la crépine à tremper dans de l'eau froide.

■ Salez et poivrez l'intérieur du carré de porc, saupoudrez-le d'une pincée de thym. Tartinez-le avec la moitié de la moutarde de Meaux. Refermez le rôti et maintenez-le avec trois ou quatre tours de ficelle. Badigeonnez-le avec le reste de moutarde. Egouttez puis épongez la crépine, entourez-en le rôti de porc. Placez celui-ci dans un plat à four, protégez-le avec une feuille d'aluminium, enfournez et comptez une première heure de cuisson.

■ Pendant ce temps, épluchez et lavez les pommes de terre et les navets. Lavez puis ôtez les extrémités des courgettes coupez-les en tronçons. Plongez les tomates une minute dans de l'eau bouillante, égouttez-les et pelez-les. Faites bouillir une grande casserole d'eau bouillante salée, plongez-y les pommes de terre et les navets. Trois minutes après la reprise de l'ébullition, ajoutez les courgettes. Comptez encore deux minutes après la nouvelle ébullition puis égouttez tous les légumes.

■ Après la première heure de cuisson, retirez la feuille d'aluminium du rôti, arrosez-le avec le jus rendu puis entourez-le avec les légumes. Saupoudrez le tout de sel, de poivre et de thym. Arrosez les légumes avec un filet d'huile d'olive ou d'arachide. Poursuivez la cuisson une heure encore.

■ Pour servir, coupez le rôti de porc en tranches, disposez celles-ci sur le plat de service chaud. Entourez-le avec les légumes de la garniture. Décorez avec des feuilles de persil. Dégraissez le jus de cuisson et présentez-le à part dans une saucière chaude.

 Pour accompagner ce plat choisissez un vin rouge issu de Pinot noir que l'on puisse servir frais : un Sancerre rouge ou un Bouzy rouge ●▬ 10°

CARRÉ D'AGNEAU A L'ESTRAGON

CARRÉ DE PORC À LA MOUTARDE DE MEAUX

Préparation : 20 mn
Cuisson : 30 mn

pour 6 personnes

6 grosses tomates
un gros poivron
2 tranches épaisses
de jambon de Bayonne
2 oignons
3 cuillerées à soupe d'huile
3 œufs
une gousse d'ail
une cuillerée à soupe
de persil haché
sel et poivre

■ Coupez la partie supérieure des tomates, évidez-les. Saupoudrez-les intérieurement de sel fin et laissez-les dégorger. Taillez le poivron en fines lanières et le jambon en petits dés.

■ Épluchez et hachez les oignons, faites-les fondre à feu doux dans l'huile chaude sans les laisser colorer. Lorsqu'ils commencent à jaunir, égouttez-les et dans cette même huile, faites revenir les lanières de poivron. Remuez-les à la spatule et après 5 minutes de cuisson, ajoutez-leur les dés de jambon. Mélangez sur le feu pendant 2 à 3 minutes puis réservez le tout.

■ Cassez les œufs, battez-les légèrement en omelette. Incorporez-leur les oignons, les lanières de poivron, les dés de jambon, l'ail écrasé et le persil haché. Assaisonnez légèrement.

■ Retournez les tomates pour les égoutter, épongez-les légèrement et remplissez-les avec la préparation précédente. Placez-les dans un plat à four préalablement badigeonné d'huile, glissez à four moyen et laissez cuire 20 minutes.

■ Servez chaud dans le plat de cuisson.

▶ **un irouléguy ou un madiran**

Préparation : 1 h
Cuisson : 2 h 15

Pour 8 personnes

un chapon de 3 kilos
une boîte de truffes de 50 g
30 g de foie gras
3 cuillerées à soupe de crème fraîche
un kilo 500 de pommes de terre
Roseval ou BF 15
250 g de beurre
sel et poivre

pour la farce :
le cœur, le foie et le gésier
du chapon
500 g de flanchet de veau
une tranche de céleri-rave de 60 g
une échalote
2 cuillerées à soupe de persil haché
20 g de beurre
un blanc d'œuf
une cuillerée à café rase de sel
4 ou 5 tours de moulin
à poivre blanc

■ Préparez la farce. Faites fondre l'échalote hachée avec 20 g de beurre dans une casserole, ajoutez le céleri coupé en tout petits dés, et 4 cuillerées à soupe d'eau chaude. Faites cuire 8 minutes à découvert jusqu'à ce qu'il n'y ait plus d'eau et laissez refroidir. Hachez menu une petite truffe. Désossez le flanchet de veau, passez-le au hachoir grille fine avec le gésier, le cœur du chapon et en dernier le foie. Mélangez ce hachis avec le céleri et l'échalote, la truffe hachée et le jus de la boîte, le persil, le blanc d'œuf, le sel et le poivre. Mettez cette farce dans le réfrigérateur. Parez le chapon. Coupez les autres truffes en rondelles, réservez les chutes pour les pommes de terre. Décollez la peau du chapon à la base du cou en glissant les doigts jusqu'aux cuisses. Répartissez les rondelles de truffes sur les filets et sur les cuisses. Assaisonnez l'intérieur du chapon, glissez-y la farce, cousez l'ouverture et bridez-le.

■ Allumez le four th. 6 - 180°. Placez le chapon sur une cuisse dans le plat. Badigeonnez-le au pinceau avec un peu de beurre fondu. Salez et poivrez-le. Ajoutez 3 cuillerées à soupe d'eau dans le plat. Faites cuire 30 minutes, retournez le chapon sur l'autre cuisse sans piquer la chair. Ajoutez éventuellement un peu d'eau chaude dans le plat. Après encore 30 minutes, mettez le chapon sur le dos. Poursuivez la cuisson pendant 1 h 15 mn en veillant à ce qu'il y ait du jus dans le plat pour arroser le chapon régulièrement. Lorsqu'il est bien doré, protégez-le avec de l'aluminium.

■ D'autre part, épluchez et lavez les pommes de terre. Faites fondre le reste de beurre dans une petite casserole à feu doux. Coupez les pommes de terre en fines rondelles. Plongez celles-ci dans une marmite d'eau bouillante salée. Egouttez-les après 3 minutes d'ébullition, épongez-les. Beurrez la lèchefrite du four avec du beurre fondu, étalez dessus les rondelles de pommes de terre. Arrosez-les avec le beurre fondu, salez et poivrez. Couvrez les pommes de terre avec de l'aluminium et enfournez. Après 30 minutes, retirez l'aluminium, ajoutez les chutes de truffe hachées et continuez la cuisson jusqu'à ce que les pommes de terre soient dorées.

■ Retirez le chapon, réservez-le au chaud avec l'aluminium. Mixez le foie gras avec une cuillerée à soupe de crème fraîche. Dégraissez le jus de cuisson, ajoutez le reste de crème fraîche dans le plat et faites bouillir sur feu doux en grattant le fond et les parois pour déglacer les sucs. Passez ce jus et versez-le dans le mixer avec le foie gras. Mixez et rectifiez l'assaisonnement. Réchauffez cette sauce sans la faire bouillir. Entourez le chapon avec les pommes de terre. Servez la sauce à part.

▶ **Seul un vin de grande distinction pourra convenir à ce plat. Le Médoc, avec les vins de Saint-Julien ou de Pauillac, semble idéal** **18°.**

CASSOLETTES BAYONNAISES

CHAPON FARCI AUX TRUFFES

Préparation :		15 mn
Cuisson :		40 mn

pour 6 personnes

250 g de macaroni
100 g de champignons
50 g de beurre
7 tranches de jambon cuit
6 olives dénoyautées
une cuillerée à soupe rase
de maïzena
2 jaunes d'œufs
2 dl de lait
sel et poivre
un bol de sauce à la crème

■ Faites cuire le macaroni dans de l'eau bouillante salée. Il doit être un peu ferme. Égouttez-le soigneusement.

■ Nettoyez les champignons, faites-les étuver dans une sauteuse avec 20 g de beurre pendant 4 à 5 minutes.

■ Beurrez copieusement un moule à charlotte. Tapissez-en le fond et les parois avec 5 ou 6 tranches de jambon en les faisant se chevaucher.

■ Hachez finement les champignons et le reste de jambon. Ajoutez les olives à ce hachis.

■ Disposez au fond du moule une couche de macaroni, parsemez d'un peu de hachis. Continuez dans cet ordre jusqu'à épuisement des éléments en terminant par une dernière couche de macaroni.

■ Mélangez la maïzena dans un bol avec les jaunes d'œufs. Délayez peu à peu avec le lait froid. Assaisonnez et versez sur la charlotte. Faites cuire au four et au bain-marie pendant 30 minutes.

■ Pour servir, démoulez la charlotte sur un plat chaud. Masquez de sauce à la crème.

		un côtes-du-Vivarais rosé

Préparation :		30 mn
Cuisson :		27 mn

pour 4 ou 5 personnes

un kilo de choux de Bruxelles
bien verts
une tranche épaisse de jambon
blanc ou de montagne
200 g de gruyère
50 g de beurre
10 cl de crème fraîche liquide
vinaigre
sel et poivre

■ Epluchez les choux en coupant la base et en éliminant une ou deux feuilles si elles sont abîmées. Lavez-les soigneusement à l'eau vinaigrée. Jetez-les ensuite dans une casserole d'eau bouillante salée, et cuisez-les pendant 20 mn, à couvert. Les choux doivent être cuits tout en restant fermes. Egouttez-les.

■ Pendant cette cuisson, coupez le jambon et le gruyère en petits dés.

■ Allumez le four th. 6, 7 - 200, 220º.

■ Beurrez un plat allant au four. Etalez au fond une couche de choux de Bruxelles bien égouttés. Eparpillez dessus la moitié des dés de jambon et de gruyère. Recouvrez avec une nouvelle couche de choux de Bruxelles. Répartissez ensuite le reste de jambon et de gruyère. Arrosez le tout de crème fraîche. Salez et poivrez. Coupez le reste de beurre en petits dés et disposez ceux-ci, çà et là, sur les choux.

■ Enfournez et comptez 6 à 7 mn, pour que le jambon dore et que le gruyère se ramollisse et devienne fondant. Servez chaud dans le plat de cuisson ou dans un légumier.

CHARLOTTE DE MACARONI

CHOUX DE BRUXELLES SAVOYARDE

Préparation : 40 mn
Cuisson : 30 mn

pour 6 personnes

Un colinot d'un kilo environ
un kilo de pommes de terre
30 g de beurre
30 g de farine
un demi-litre de lait
une cuillerée à soupe de crème
un petit verre de câpres
sel, poivre et muscade

Pour le court-bouillon :
2 litres d'eau
un verre de vinaigre
un oignon
une carotte
un bouquet garni
sel et poivre

■ Rangez les pommes de terre dans un faitout, couvrez-les à peine d'eau salée et cuisez-les à petits bouillons.

■ Pendant ce temps, versez tous les éléments du court-bouillon dans un récipient, de forme ovale si possible. Après cinq minutes d'ébullition, plongez-y le colinot et pochez-le, à petit feu, pendant 15 minutes.

■ D'autre part, chauffez le beurre dans une casserole sur feu doux, mélangez-le avec la farine. Laissez blondir puis versez le lait froid en une seule fois. Assaisonnez de sel, de poivre et d'une pointe de muscade. Remuez bien le tout jusqu'à l'ébullition pour obtenir une sauce homogène. Incorporez alors la crème fraîche et les câpres soigneusement égouttés.

■ Pelez les pommes de terre, coupez-les en rondelles épaisses. Retirez le poisson du court-bouillon, coupez-le en six morceaux puis éliminez-en la peau et les arêtes.

■ Allumez le four (th. 6-7, 200-220°).

■ Dans un plat à gratin, alternez les rondelles de pommes de terre et les morceaux de poisson. Nappez le tout avec la sauce et passez au four pendant 10 minutes.

  un gros-plant ou un muscadet

Préparation: 25 mn
Cuisson: 35 mn

pour 2 personnes

2 côtes de veau
200 g d'oignons
100 g de beurre
50 g de parmesan râpé
2 cuillerées à soupe
de chapelure
un dl de vin blanc
un dl de bouillon de volaille
paprika, sel et poivre

■ Epluchez puis hachez les oignons. Faites fondre 80 g de beurre dans une poêle, rangez-y les côtes de veau, ajoutez le hachis d'oignons. Retournez les côtes de veau pour qu'elles dorent sur l'autre face. Salez, poivrez. Retirez du feu.

■ Mélangez dans un bol le parmesan et la chapelure. Allumez le four th 6,7-200,220°.

■ Prenez un plat allant au four, versez le hachis d'oignons dans le fond et posez dessus les côtes de veau. Saupoudrez-les du mélange de parmesan et de chapelure. Semez un peu de paprika sur le tout. Mouillez avec le vin blanc et le bouillon de volaille. Ajoutez quelques noix de beurre sur le dessus du plat et enfournez.

■ Servez chaud après 35 mn de cuisson.

  un muscadet

COLINOT AUX CÂPRES

COTES DE VEAU AU PARMESAN

Préparation : 30 mn
Cuisson : 55 mn

pour 6 personnes

6 côtes de veau épaisses
3 belles tranches de jambon
100 g de beurre
500 g de champignons
3 échalotes
10 cl de madère
4 cuillerées de concentré de tomate
20 cl de bouillon de viande corsé
une cuillerée à soupe de persil haché
3 cuillerées à soupe de crème fraîche
sel et poivre
6 carrés d'aluminium

Pour la garniture :
des pommes dauphines

■ Chauffez 50 g de beurre dans une poêle. Placez-y les côtes de veau et retournez-les au bout de 5 minutes. Laissez-les dorer 5 autres minutes sur l'autre face, puis retirez-les et assaisonnez-les.

■ Nettoyez les champignons, épluchez les échalotes. Emincez finement ces légumes. Faites-les revenir dans la même poêle avec le reste de beurre. Mouillez ensuite avec le madère, le concentré de tomate et le bouillon. Ajoutez le persil haché, du sel et du poivre. Laissez mijoter et réduire la sauce pendant 20 minutes.

■ Allumez le four (th. 6-200°).

■ Tartinez les côtes de veau sur une face avec le hachis de champignons et posez dessus une demi-tranche de jambon. Enveloppez chaque côte dans un carré d'aluminium et placez-les sur la grille du four. Comptez 25 minutes de cuisson à four doux.

■ Déglacez la poêle avec la crème, assaisonnez.

■ Servez les papillotes entrouvertes et présentez la sauce en saucière. Accompagnez de pommes dauphines.

◀ **un médoc**

Préparation : 1 h
Cuisson : 1 h 30 mn

pour 8 personnes

700 g de pâte feuilletée
800 g de saumon frais
un litre de court-bouillon
150 g de riz
300 g d'épinards lavés puis hachés
5 œufs plus 2 jaunes
2 cuillerées à soupe de crème
un citron
une cuillerée à soupe de lait
sel et poivre

Pour servir :
300 g de crème fraîche
une cuillerée à soupe de fines
herbes hachées

■ Plongez le saumon dans le court-bouillon froid, puis amenez à petits frémissements et laissez pocher pendant 15 mn. Egouttez-le. Jetez le riz dans le court-bouillon après le saumon et laissez-le cuire pendant 20 mn. Faites durcir quatre œufs. Plongez les épinards dans une marmite d'eau bouillante salée. Comptez 7 mn après la reprise de l'ébullition puis égouttez-les bien.

■ Enlevez la peau et les arêtes du saumon. Coupez-le en petits morceaux. Mélangez ceux-ci dans un grand saladier avec le riz, les épinards, la crème fraîche, deux jaunes d'œufs, le jus du citron, du sel et du poivre. Ecalez les œufs durs.

■ Allumez le four th. 6-200°. Huilez la plaque du four. Etalez la moitié de la pâte en un rectangle de 35 cm de longueur sur 18 cm de largeur. Posez ce rectangle sur la plaque de cuisson. Disposez dessus une partie de la préparation au saumon en laissant un espace libre de 2 cm sur le pourtour. Alignez les œufs durs dans le milieu en les enfonçant légèrement. Recouvrez-les avec le reste de la préparation. Etalez l'autre moitié de la pâte aux mêmes dimensions. Cassez le dernier œuf, séparez le jaune du blanc. Badigeonnez les bords libres du premier rectangle avec un pinceau trempé dans le blanc d'œuf. Placez dessus l'autre rectangle, pincez les bords pour les souder. Incisez le pourtour avec la pointe d'un couteau. Badigeonnez le coulibiac au pinceau avec le jaune d'œuf battu avec le lait. Enfournez et laissez cuire 45 mn.

■ Au moment de servir, chauffez la crème fraîche dans une casserole sans la faire bouillir. Salez, poivrez. Ajoutez les fines herbes hors du feu. Servez le coulibiac, coupé en tranches, sur le plat de service et présentez la crème à part, en saucière.

◀ **un meursault**

COTES DE VEAU JUNON

COULIBIAC DE SAUMON

Préparation : 25 mn
Cuisson : 30 mn

pour 6 personnes

Un kilo de courgettes
150 g de lard fumé
un verre d'huile
3 oignons
une tasse à thé de farine
un petit bouquet garni
2 gousses d'ail
un bol de sauce tomate
75 g de fromage râpé
sel et poivre

■ Epluchez les courgettes, coupez-les en tronçons de 5 cm environ de longueur. Divisez ces tronçons en bâtonnets, saupoudrez-les légèrement de sel fin et laissez dégorger.

■ Coupez le lard en petits morceaux, faites-les blondir dans 2 cuillerées à soupe d'huile puis retirez-les et tenez-les au chaud.

■ Dans la même huile, faites également dorer les oignons émincés. Retirez-les puis ajoutez-les aux lardons.

■ Epongez les courgettes, farinez-les. Faites-les dorer à la poêle, dans le reste de l'huile chaude. Quand elles sont colorées, égouttez-les.

■ Dans un plat allant au four, mélangez les courgettes, les oignons, les lardons. Ajoutez le bouquet garni, l'ail haché et la sauce tomate. Assaisonnez, saupoudrez le plat de fromage râpé.

■ Glissez sous le gril du four, laissez gratiner. Servez chaud dans le plat de cuisson.

Préparation: 30 mn
Cuisson: 20 mn

pour 6 personnes

6 pommes de terre
4 courgettes
6 tomates
4 oignons
25 g de beurre
un petit verre d'eau-de-vie
ou de cognac
100 g de gruyère râpé
sel et poivre

■ Epluchez et lavez les pommes de terre. Lavez aussi les courgettes et les tomates. Coupez tous ces légumes en rondelles. Epluchez les oignons, coupez-les en lamelles.

■ Faites fondre le beurre dans l'autocuiseur, versez-y les lamelles d'oignons. Laissez-les dorer légèrement puis ajoutez les rondelles de pommes de terre, de courgettes et de tomates. Salez, poivrez. Fermez l'autocuiseur et comptez dix minutes de cuisson, à feu doux.

■ Ouvrez l'autocuiseur, versez les légumes dans un plat à gratin. Arrosez-les avec l'eau-de-vie puis saupoudrez-les de gruyère râpé. Glissez le plat à four chaud (th. 7-8, 220-250°), et laissez gratiner pendant 10 minutes.

■ Servez très chaud dans le plat de cuisson.

COURGETTES AU GRATIN

COURGETTES NIÇOISE

Préparation : 20 mn
Cuisson : 30 mn

pour 6 personnes

6 petites courgettes
3 œufs
200 g de fromage blanc
100 g de gruyère râpé
une cuillerée à soupe
de semoule de blé
100 g de crème fraîche
une cuillerée à soupe
de fines herbes hachées
5 cuillerées à soupe
d'huile d'olive
chapelure
sel et poivre

■ Coupez les deux extrémités des courgettes puis fendez-les en deux dans leur longueur. Creusez-les délicatement.

■ Cassez les œufs, séparez les jaunes des blancs.

■ Mélangez dans une terrine : le fromage blanc battu, le gruyère râpé, la semoule, la crème fraîche, les jaunes d'œufs, les fines herbes hachées ainsi que sel et poivre.

■ Allumez le four (th. 6 - 200°). Huilez un plat à four.

■ Battez les blancs en neige, incorporez-les délicatement au mélange précédent. Remplissez-en les courgettes et placez celles-ci dans le plat huilé. Saupoudrez de chapelure, arrosez avec le reste d'huile et faites cuire 30 minutes à four moyen.

■ Servez les courgettes soit au sortir du four, soit refroidies, arrosées d'une vinaigrette aux herbes.

Préparation : 45 mn
Cuisson : 35 mn

pour 4 personnes

Une cervelle de bœuf
3 grosses pommes
de terre farineuses
70 g de beurre
un œuf
2 échalotes
une cuillerée à soupe
de purée de tomates
un dl de bouillon (ou d'eau)
une tasse de chapelure
un citron
vinaigre, farine, laurier
muscade, poivre en grains
sel

■ Faites dégorger la cervelle à l'eau froide pendant au moins 2 heures ; changez l'eau deux ou trois fois.

■ Egouttez puis épongez la cervelle. Retirez la membrane qui la recouvre. Mettez-la dans une casserole puis recouvrez-la d'eau bouillante salée. Ajoutez quelques grains de poivre, une feuille de laurier et un large filet de vinaigre. Faites bouillir doucement 15 minutes, éteignez le feu et laissez tiédir dans le court-bouillon.

■ Pendant ce temps, cuisez à l'eau salée les pommes de terre avec leur peau. Egouttez-les ensuite, pelez-les, écrasez-les en purée. Ajoutez-leur 40 g de beurre, l'œuf entier battu, sel, poivre et une pincée de muscade. Travaillez le tout énergiquement à la cuillère de bois et renversez la purée sur la table farinée. Façonnez en forme de boudin, joignez les deux extrémités pour former un cercle, disposez-le sur un plat rond allant au four.

■ Hachez les échalotes, faites-les fondre au beurre sans qu'elles se colorent. Saupoudrez d'un peu de farine, ajoutez la purée de tomate, mouillez avec le bouillon (ou l'eau) et le vin blanc. Assaisonnez. Faites bouillir un instant puis ajoutez la cervelle coupée en tranches. Laissez chauffer 10 minutes puis versez le tout à l'intérieur de la croustade de pommes de terre.

■ Saupoudrez le tout de chapelure et portez sous la rampe du four pour faire gratiner pendant 5 minutes. Servez avec des quartiers de citron.

▶ un saumur sec

COURGETTES SOUFFLÉES

CROUSTADE DE CERVELLE

Préparation :	20 mn
Cuisson :	20 mn

pour 6 personnes

6 croûtes de bouchées à la reine
(vendues toutes prêtes
en carton traiteur)
250 g de chair à saucisse
2 oignons
2 échalotes
un petit bouquet de persil
un œuf
2 cuillerées à soupe de crème
une cuillerée à soupe de cognac
une pincée de poudre de thym
sel et poivre

■ Allumez le four à bonne température (th. 8 - 250°).

■ Préparez la farce : épluchez et hachez finement les oignons et les échalotes ainsi que le persil.

■ Mettez la chair à saucisse dans une terrine, ajoutez le hachis d'oignons, d'échalotes et de persil.

■ Battez l'œuf avec la crème et le cognac. Versez ce mélange sur la préparation précédente ainsi que la poudre de thym. Assaisonnez et malaxez bien le tout pour obtenir une farce homogène. Remplissez-en les croûtes en formant un dôme avec la farce.

■ Posez les croustades sur la tôle à patisserie, glissez celle-ci au four. Après 10 minutes de cuisson, réduisez la température (th. 6 - 200°).

■ Servez chaud, dès la sortie du four.

 un bourgueil ou un chinon

Préparation :	30 mn
Cuisson :	30 mn

pour 6 personnes

Un pain de mie rassis
de 30 cm de longueur
100 g de beurre
200 g de roquefort très bleu
100 g de cerneaux de noix
4 cl de cognac
4 cuillerées à soupe de crème
un œuf plus un jaune
une pointe de cayenne
une demi-cuillerée à café
de paprika
poivre

■ Allumez le four (th. 4-5, 170-180°).

■ Retirez toute la croûte du pain de mie à l'aide d'un couteau-scie bien aiguisé. Détaillez-le ensuite en six tronçons égaux. Évidez ceux-ci soigneusement pour obtenir des caissettes. Beurrez ces caissettes aussi bien intérieurement qu'extérieurement et faites-les légèrement dorer à four moyen, 10 minutes environ.

■ Pendant ce temps, préparez la garniture : écrasez le roquefort dans une terrine, passez les noix à la moulinette au-dessus du roquefort. Battez ensemble le cognac, la crème, l'œuf entier et le jaune. Versez mélange sur le roquefort et les noix. Assaisonnez largement de poivre, de cayenne et de paprika. Travaillez bien tous ces éléments. Au besoin, passez-les quelques secondes au mixer.

■ Remplissez les croûtes avec la garniture et faites cuire au four pendant 20 minutes.

■ Servez chaud, dès la sortie du four.

 un côtes-du-Rhône ou un brouilly

CROUSTADES ILE-DE-FRANCE

CROUTES AVEYRONNAISES

Préparation : 20 mn
Cuisson : 25 mn

pour 6 personnes

6 tranches de colin
de 200 g chacune
6 oignons moyens
2 gousses d'ail
3 cuillerées à soupe d'huile
une cuillerée à soupe
de poudre de curry
2 dl de vin blanc sec
50 g de beurre
250 g de crème
une cuillerée à soupe
de persil haché
sel et poivre

■ Épluchez et hachez finement les oignons, écrasez les gousses d'ail. Faites-les fondre, à feu doux, dans l'huile chaude, en veillant à ce qu'ils jaunissent à peine. Saupoudrez-les ensuite avec le curry, mélangez un instant sur le feu. Mouillez avec le vin blanc puis amenez à ébullition.

■ Allumez le four (th. 5-6 - 180-200°).

■ Versez la préparation aux oignons dans un plat allant au four. Disposez-y les tranches de colin, côte à côte, assaisonnez-les et placez sur chacune d'elles un petit morceau de beurre. Enfournez 15 minutes à four chaud.

■ Lorsque le poisson est cuit, retirez chaque tranche délicatement, afin de ne pas les briser et rangez-les sur le plat de service en les faisant se chevaucher. Tener au chaud dans le four éteint, encore chaud.

■ Versez le jus de cuisson dans une casserole avec la crème. Faites épaissir à feu vif en battant au fouet. Nappez les tranches de poisson avec cette sauce bien mousseuse, saupoudrez-les de persil haché et servez très chaud.

   un tavel

Préparation : 20 mn
Cuisson : 30 mn

pour 6 personnes

3 daurades, de taille moyenne
4 gros oignons
4 gousses d'ail
2 tomates
un ou deux piments frais
(selon les goûts)
2 cuillerées à soupe de beurre
sel, poivre, laurier

Pour la sauce :
une petite boîte
de concentré de tomate
4 tomates
une gousse d'ail
2 petits piments séchés

Pour la cuisson :
3 feuilles d'aluminium
2 cuillerées à soupe d'huile

■ Nettoyez les poissons, écaillez-les, lavez-les et essuyez-les.

■ Hachez finement les oignons et l'ail, mais gardez quelques rondelles d'oignon. Dans un bol, faites dégorger avec du sel deux tomates coupées en quartiers. Pilez les piments frais. Préparez une farce avec les oignons, l'ail, les quartiers de tomates expurgés de leur eau et détaillés en fins morceaux et les piments. Pétrissez bien et ajoutez le beurre. Assaisonnez.

■ Pour chaque daurade, prenez une feuille d'aluminium suffisamment grande pour confectionner une papillote étanche. Huilez-les légèrement.

■ Remplissez chaque daurade avec la farce et posez dessus deux ou trois rondelles d'oignon. Assaisonnez-les, puis refermez-les. Faites-les cuire à four chaud (th. 6 ou 7 - 200 à 220°).

■ Préparez pendant ce temps une sauce express. Diluez le concentré de tomate dans un bol d'eau tiède. Versez-le dans une casserole sur feu moyen avec quatre tomates coupées en morceaux, une gousse d'ail pilée et les piments séchés, également pilés. Laissez cuire cette sauce à petit feu.

■ Servez les daurades débarrassées de leur papillote et dressées sur le plat de service. Décorez-les de rondelles de tomates, de feuilles de laurier et de piments séchés. Présentez la sauce en saucière et accompagnez d'un riz cuit au naturel.

   un graves

DARNES DE COLIN AU CURRY

DAURADES A LA KOWEITIENNE

Préparation : 30 mn
Cuisson : 30 mn

pour 4 personnes

une dorade de 1,200 kg
un concombre
une laitue
2 cuillerées à soupe d'huile d'olive
2 cuillerées à soupe de vin blanc
2 cuillerées à soupe
de vermouth blanc
250 g de crème fraîche
2 branches de basilic
2 cuillerées à soupe
de persil haché
sel et poivre
une feuille d'aluminium
légèrement plus longue que
deux fois la longueur du poisson

■ Demandez à votre poissonnier de vider la dorade par les ouïes ou en pratiquant une incision la plus courte possible.

■ Epluchez et lavez la salade. Pelez le concombre, taillez-y des boules avec une cuillère à racine ou une petite cuillère coupante. Egouttez la salade, coupez les feuilles en lanières pour obtenir une chiffonnade. Lavez, épongez la dorade. Glissez une branche de basilic à l'intérieur.

■ Allumez le four th. 6-200°. Posez la feuille d'aluminium à plat sur le plan de travail. Tapissez-en la moitié avec la chiffonnade de laitue, arrosez celle-ci d'huile d'olive, assaisonnez-la. Posez dessus la dorade, entourez-la avec les boules de concombre. Arrosez le poisson avec le vin blanc et le vermouth puis étalez dessus, deux cuillerées à soupe de crème fraîche. Salez, poivrez. Saupoudrez le tout de persil haché.

■ Repliez la feuille d'aluminium sur la dorade, ourlez les bords pour fermer hermétiquement la papillote. Glissez le tout sur la lèchefrite du four et faites cuire pendant 30 minutes à four moyen.

■ Au moment de servir, versez le reste de crème dans une casserole. Salez, poivrez. Faites-la bouillir en remuant avec un fouet jusqu'à ce qu'elle épaississe. Posez la papillote sur un plat de service. Découpez le dessus avec une paire de ciseaux. Nappez la dorade de crème chaude. Servez aussitôt.

)━ un bandol blanc ou un côtes de Provence blanc

Préparation : 30 mn
Cuisson : 45 mn

pour 4 personnes

4 grosses endives
une crépine de porc
2 oignons
60 g de beurre
180 g de chair à saucisse
une tasse à café de mie
de pain, humectée de lait
une cuillerée à soupe
de persil finement haché
une tasse à thé de bouillon
sel et poivre

■ Mettez la crépine à tremper dans de l'eau fraîche.

■ Essuyez les endives sans les avoir lavées, fendez-les par la moitié dans leur longueur. Évidez-en l'intérieur de façon à obtenir des barquettes. Hachez menu la partie des feuilles retirées.

■ Épluchez et hachez également les oignons, faites-les revenir dans la moitié du beurre chaud. Ajoutez ensuite le hachis d'endives et laissez blondir ces éléments en les remuant à la cuillère en bois. Incorporez ensuite la chair à saucisse en l'émiettant avec une fourchette puis la mie de pain et le persil haché. Assaisonnez et mélangez bien le tout.

■ Allumez le four (th. 7-220°). Beurrez un plat à four. Épongez la crépine, partagez-la en quatre. Faites fondre le reste du beurre dans une petite casserole. Garnissez de farce les barquettes d'endives et reconstituez-les. Entourez chaque endive d'un morceau de crépine, placez-les côte à côte, dans le plat beurré.

■ Arrosez-les de beurre fondu. Glissez le plat au four. En cours de cuisson, versez de temps en temps un peu de bouillon au fond du plat pour empêcher le beurre de noircir. Servez dans le plat de cuisson.

DORADE AU BASILIC EN PAPILLOTE

ENDIVES FARCIES

Préparation : 1 h
Cuisson : 35 à 40 mn

pour 4 personnes

4 grosses endives
un demi-cube de bouillon
de volaille concentré
1 dl d'eau
80 g de beurre
un peu de persil
sel et poivre

Pour la farce :
250 g de blanc de poulet
(un reste de poulet rôti)
150 g de chair à saucisse
30 g de beurre
100 g de mie de pain
une demi-tasse de lait
2 cuillerées à soupe de
persil haché
un œuf
une pincée de quatre épices
sel et poivre

■ Lavez et égouttez les endives. Creusez-les légèrement à la base pour retirer la partie dure et amère.

■ Dans une marmite, faites bouillir deux litres d'eau avec une cuillerée à soupe de sel. Plongez-y les endives entières, couvrez et laissez-les cuire pendant quinze minutes. Egouttez-les puis réservez-les sur un papier absorbant ou sur un linge.

■ Pendant la cuisson des endives, préparez la farce. Imbibez la mie de pain de lait et pressez-la pour ôter l'excédent. Hachez finement le blanc de poulet avec la chair à saucisse pour bien les mélanger. Faites fondre le beurre dans une poêle sur feu moyen, ajoutez le hachis de viande. Remuez pendant quelques minutes puis retirez la poêle du feu et versez le contenu dans une terrine. Laissez un peu refroidir puis ajoutez la mie de pain imbibée de lait, l'œuf entier, une pincée de quatre épices, du sel, du poivre et le persil haché. Malaxez le tout pour obtenir une farce homogène.

■ Allumez le four (th. 8-250 °). Faites bouillir le décilitre d'eau avec le demi-cube de bouillon de volaille concentré. Coupez les endives en deux dans leur longueur. Ouvrez chaque moitié pour former une barquette. Garnissez-les avec la farce et rangez-les au fur et à mesure dans un plat à four. Versez le bouillon dans le fond du plat. Faites fondre le beurre dans une casserole et arrosez-en les endives farcies. Enfournez et comptez vingt à vingt-cinq minutes de cuisson jusqu'à ce que la farce soit bien dorée et forme une légère croûte.

■ Servez dans le plat de cuisson en garnissant le centre d'une touffe de persil.

🍾 un beaujolais

Préparation : 30 mn
Cuisson : 1 h 30 mn

pour 6 personnes

6 endives
6 tranches de jambon blanc
60 g de beurre
un morceau de sucre n° 4

Pour la sauce :
50 g de beurre
50 g de farine
un demi-litre de lait
muscade râpée
125 g de fromage râpé
sel et poivre

■ Nettoyez les endives sans les laver en retirant les feuilles flétries, essuyez-les avec soin. Faites chauffer 40 g de beurre dans une sauteuse, placez les endives dans ce beurre chaud, assaisonnez, ajoutez le sucre et couvrez. Laissez cuire à feu doux les endives dans leur jus pendant 45 minutes. N'ajoutez un peu d'eau chaude que si elles risquent d'attacher.

■ Préparez la sauce béchamel. Faites fondre le beurre et mélangez-le avec la farine à l'aide d'une cuillère de bois. Dès que le roux commence à mousser, délayez-le avec le lait chaud. Laissez cuire 15 minutes en continuant de tourner à la spatule.

■ Allumez le four (th. 8 - 250°). Beurrez un plat à gratin.

■ Incorporez à la béchamel 100 g de fromage râpé, assaisonnez en salant peu en raison du fromage, poivrez et ajoutez une petite pincée de muscade râpée.

■ Etalez chaque tranche de jambon. Tartinez-la de sauce, placez au centre une endive sur laquelle vous roulerez la tranche de jambon. Posez ces roulades dans le plat à gratin. Nappez-les avec le reste de sauce.

■ Faites fondre ce qui vous reste de beurre pour en arroser le plat. Enfin, saupoudrez de fromage râpé, glissez au four et laissez bien dorer.

■ Servez chaud dans le plat de cuisson.

 un mâcon rouge

ENDIVES FARCIES AU POULET

ENDIVES ROULÉES AU JAMBON

Préparation : 1 h
Cuisson : 35 min

pour 4 personnes

une botte d'asperges à pointe verte
de préférence
700 g de pâte feuilletée
prête à l'emploi
un œuf
farine
sel et poivre
Pour le beurre blanc :
1 dl de vinaigre blanc
2 échalotes
2 cuillerées à soupe de crème fraîche
200 g de beurre
poivre blanc en grains

■ Allumez le four th. 7 - 210°. Cassez l'œuf, séparez le blanc du jaune. Farinez le plan de travail, déroulez la pâte feuilletée. Taillez 12 carrés de 13 cm de côté. Superposez-les par trois en badigeonnant, à l'aide d'un pinceau, les parties intérieures de blanc d'œuf pour les coller. Dorez le dessus de chaque feuilleté avec le jaune d'œuf battu avec un peu d'eau. Posez-les sur la tôle du four huilée et faites-les cuire 20 minutes à four chaud.

■ Coupez les pointes des asperges sur 12 cm de longueur. Réservez les queues pour faire un potage. Lavez les pointes d'asperges, égouttez-les. Plongez-les dans une casserole d'eau bouillante salée et faites-les cuire pendant 8 à 10 minutes selon leur grosseur. Egouttez-les sur un papier absorbant.

■ Préparez le beurre blanc. Epluchez puis émincez finement les échalotes. Mettez-les dans une casserole à fond épais, ajoutez le vinaigre, une pincée de sel et 3 ou 4 tours de moulin à poivre blanc. Faites bouillir jusqu'à ce qu'il ne reste plus qu'une cuillerée à soupe de liquide dans la casserole. Ajoutez la crème, laissez-la bouillir jusqu'à ce qu'elle épaississe. Baissez le feu puis incorporez le beurre en petits morceaux, en fouettant la sauce, qui ne doit pas bouillir. Au besoin, utilisez un bain-marie. Passez la sauce dans un chinois pour éliminer les échalotes.

■ Ouvrez les feuilletés par la moitié et placez la base de chacun d'eux sur une assiette chaude. Garnissez-les de pointes d'asperges et nappez celles-ci de deux bonnes cuillerées de beurre blanc. Posez les couvercles sans recouvrir complètement les asperges. Servez aussitôt et présentez le reste de beurre blanc dans une saucière.

)■▬ **classique et grand :**
un Savennières « Coulée de Serrant » 1976 ●━━ 8° ;
plus audacieux : un Jerez de type « fino » très frais ●━━ 9°

Préparation : 45 mn
Cuisson : 1 h 30 mn

pour 4 ou 5 personnes

250 g de haricots verts
2 petites courgettes
400 g de tomates
4 ou 5 pommes de terre
nouvelles BF 15 ou Roseval
250 g de carottes nouvelles
un gros oignon
une échalote
2 gousses d'ail
50 g de beurre
sel et poivre
huile d'olive
une petite cocotte
allant au four
aluminium ménager

■ Effilez et lavez les haricots verts. Lavez, essuyez les courgettes, coupez-les en rondelles fines.

■ Plongez les tomates une minute dans de l'eau bouillante, pelez-les et coupez-les en rondelles épaisses. Otez les graines avec le doigt.

■ Grattez ou pelez les pommes de terre et les carottes. Lavez-les puis coupez les pommes de terre par la moitié dans leur longueur et les carottes en baguettes.

■ Epluchez et hachez l'oignon, l'échalote et une gousse d'ail. Avec la deuxième gousse d'ail, frottez le fond et les parois de la cocotte.

■ Allumez le four th 5 - 150°. Disposez successivement dans la cocotte la moitié des courgettes, les pommes de terre, la moitié des haricots verts, la moitié des tomates, le reste des courgettes, les carottes, le reste des haricots verts puis le reste des tomates. Entre chaque couche de légumes, éparpillez un peu de hachis d'oignon, d'échalotes et d'ail, ainsi qu'un filet d'huile d'olive, du sel et du poivre. Coupez le beurre en petits morceaux et répartissez ceux-ci sur les légumes.

■ Placez une feuille d'aluminium sur la cocotte avant de remettre le couvercle afin que la vapeur ne s'en échappe pas. Mettez la cocotte au four et laissez cuire, à feu doux, pendant une heure et demie. Les légumes cuisent ainsi dans leur jus.

■ Servez cette estouffade avec une viande grillée ou poêlée.

FEUILLETÉ D'ASPERGES AU BEURRE BLANC

ESTOUFFADE DE LEGUMES AU FOUR

Préparation : 1 h
Cuisson : 2 h

pour 8 personnes

8 escalopes de veau prises dans la noix
et pesant chacune 200 g
2 sachets de fines tranches
de poitrine fumée
une carotte, un oignon
150 g de beurre
10 cl de vin blanc sec
10 cl de bouillon, 10 cl de madère
un bouquet garni
500 g de champignons de Paris
le jus d'un demi citron
quelques bouquets de cresson
persil, sel et poivre
Pour la farce :
250 g d'épaule de veau ou de quasi
200 g de chair à saucisse
200 g de champignons de Paris
4 échalotes, 40 g de beurre
un bouquet de persil, un brin de thym
3 petits suisses
une cuillerée à soupe de crème
une pincée de quatre-épices
un œuf

■ Préparez la farce. Nettoyez les champignons, hachez-les finement au couteau. Epluchez puis émincez les échalotes. Passez l'épaule de veau au hachoir, grille fine avec le persil. Faites fondre le beurre dans une poêle, ajoutez les champignons et les échalotes hachés. Remuez à feu doux pendant 5 mn et laissez refroidir. Versez dans une terrine la chair à saucisse, le veau haché avec le persil, les petits suisses, la crème et l'œuf entier. Ajoutez le thym émietté, le quatre-épices, du sel, du poivre et la préparation aux champignons. Mélangez bien le tout en travaillant avec une fourchette.

■ Sur le plan de travail, étalez la moitié des tranches de lard fumé. Posez dessus une escalope en la maintenant inclinée avec la main gauche. Recouvrez-la de farce puis d'une autre escalope et ainsi de suite jusqu'à la sixième escalope. Maintenez la farce avec une escalope à chaque extrémité. Posez le reste des tranches de lard fumé sur le dessus. Ficelez le tout comme un rôti en serrant le plus possible. Allumez le four th. 6-200 °.

■ Epluchez puis émincez finement la carotte et l'oignon, tapissez le fond d'un plat à four avec ces légumes. Mettez le bouquet garni et le feuilleton. Enduisez celui-ci avec 50 g de beurre. Poivrez au moulin, ne salez pas à cause du lard. Enfournez. Lorsqu'il est bien doré, versez le vin blanc et le bouillon dans le fond du plat. Poursuivez la cuisson pendant une heure et 45 minutes. Le feuilleton est cuit, lorsqu'il ne sort plus de jus rosé en le piquant jusqu'au centre avec une brochette en métal. Pendant la cuisson du feuilleton, nettoyez les champignons. Emincez-les, arrosez-les aussitôt avec le jus de citron. Dix minutes avant de servir, faites-les sauter à la poêle avec 50 g de beurre, du sel et du poivre.

■ Retirez le feuilleton de veau et tenez-le au chaud. Passez le jus de cuisson au chinois dans une casserole sans presser les légumes, au besoin dégraissez-le. Ajoutez le madère et portez à ébullition. Baissez le feu puis incorporez le reste de beurre par petits morceaux en remuant avec la cuillère en bois. Rectifiez l'assaisonnement. Servez le feuilleton découpé sur un plat garni de bouquets de cresson. Présentez la sauce à part ainsi que les champignons sautés au beurre et saupoudrés de persil haché.

◗ un saint-joseph

Recette d'Antoine Sachapt
Restaurant Les Mouflons
à Besse-en-Chandesse
Préparation : 1 h
Cuisson : 40 min

pour 10 personnes

1,200 kg de filet de bœuf
300 g de pâte feuilletée
150 g de filet de dinde
ou de noix de veau
2 œufs, 50 g de beurre
150 g de crème fraîche
2 échalotes, 1 citron
2 cuillerées à soupe d'huile
100 g de champignons de Paris
sel, poivre, muscade
Pour les crêpes :
1 cuillerée à soupe bombée de farine
un œuf, 10 cl de lait
une cuillerée à soupe
de fines herbes hachées
Pour la sauce :
10 cl de madère, 20 cl de fond
de veau ou de sauce demi-glace
une petite boîte de truffe
50 g de beurre, ou
5 dl de sauce Périgueux ou au Madère

■ Parez et assaisonnez le filet de bœuf. Faites chauffer l'huile dans une poêle sur feu vif, ajoutez le filet de bœuf, laissez-le dorer puis retournez-le pour qu'il soit bien saisi de tous côtés pendant 10 à 12 minutes. Egouttez-le et laissez-le refroidir. Jetez l'huile, déglacez la poêle avec le madère, laissez réduire d'un tiers, ajoutez le fond de veau ou la sauce demi-glace, portez à ébullition et passez au chinois. Réservez au chaud. Mixez le filet de dinde ou la noix de veau. Laissez la chair dans le bol du mixer et mettez-la 15 minutes au congélateur. Préparez la pâte à crêpes, ajoutez-y les fines herbes.

■ Epluchez et hachez fin les échalotes et les champignons. Faites revenir les échalotes dans une casserole avec 20 g de beurre. Lorsqu'elles sont translucides, ajoutez les champignons, le jus du citron, du sel et du poivre. Laissez cuire jusqu'à évaporation de l'eau de végétation. Réservez au frais.

■ Ajoutez un blanc d'œuf dans le bol du mixer. Faites tourner 10 secondes, versez la moitié de la crème fraîche, mixez 10 secondes et incorporez l'autre moitié de la crème en mixant encore 10 secondes. Retirez la mousse du mixer. Ajoutez du sel, du poivre, un peu de muscade et les champignons. Mettez au frais. Confectionnez 6 crêpes aux fines herbes.

■ Préchauffez le four th. 8 - 225°. Abaissez au rouleau la pâte feuilletée sur 2 millimètres d'épaisseur pour obtenir un rectangle légèrement plus long que le filet de bœuf et suffisamment large pour l'envelopper. Battez l'œuf entier avec le jaune et badigeonnez-en la pâte feuilletée avec un pinceau. Avec une spatule, enduisez le filet de bœuf de mousse aux champignons. Entourez-le avec les crêpes et posez-le sur la pâte feuilletée. Repliez la pâte pour bien enfermer le tout et soudez les bords. Badigeonnez d'œuf battu et enfournez. Cuisez à four chaud pendant 15 à 20 minutes.

■ Terminez la sauce en incorporant la truffe émincée et son jus puis le beurre en petits morceaux, en remuant sur feu doux, avec la cuillère en bois. Rectifiez l'assaisonnement. Servez le rôti avec des petits légumes ou des pâtes fraîches.

◗ Pour rester régional, essayer de trouver un vin de Chanturgues. A défaut, il vous sera plus facile de trouver un Saint-Pourçain-sur-Sioule ●▭ 12°.

FEUILLETON DE VEAU AUX HERBES

FILET DE BŒUF EN CROUTE AU MADERE

Préparation: 30 mn
Cuisson: 30 mn

pour 6 personnes

Un kilo 500 de filet
de boeuf ficelé
un petit verre de cognac
sel et poivre
Pour la sauce:
50 g de beurre
un oignon
100 g de lard
30 g de farine
un demi-litre de bouillon
de viande
un bouquet garni
2 cuillerées à soupe de madère
une petite boîte
de pelures de truffe

■ Préchauffez le four (th. 8 - 250°).

■ Enfournez le filet nature dans un plat allant au four. Retournez-le après 15 minutes de cuisson, assaisonnez-le. Après 30 minutes de cuisson totale, retirez le plat du four et flambez le filet de boeuf avec le cognac.

■ Préparez la sauce pendant la cuisson du filet de boeuf. Faites fondre le beurre dans une casserole, ajoutez l'oignon coupé en rondelles et le lard en petits dés. Laissez bien dorer ces éléments puis saupoudrez-les avec la farine. Remuez bien le tout puis mouillez petit à petit avec le bouillon en continuant de tourner la sauce. Salez, poivrez, ajoutez le bouquet garni. Cuisez à petit feu pendant 20 minutes.

■ Passez la sauce au chinois lorsqu'elle est cuite, incorporez-y le madère et les pelures de truffe, rectifiez l'assaisonnement.

■ Découpez le filet en tranches et servez-le bien chaud, accompagné de pommes dauphines. Présentez la sauce à part.

un bergerac rouge

Préparation : 15 mn
Cuisson : 25 mn

pour 5 personnes

Un filet de julienne
d'un kilo environ
4 échalotes
200 g de champignons
le jus d'un citron
30 g de beurre
100 g de crème
2 verres de muscadet
une demi-cuillerée à café
de poivre concassé
un peu de sel fin

■ Lavez et épongez la julienne. Salez-la légèrement.

■ Allumez le four (th. 7).

■ Epluchez les échalotes. Nettoyez et lavez les champignons, épongez-les puis hachez-les aussi finement que possible ainsi que les échalotes. Arrosez de jus de citron le hachis de champignons.

■ Beurrez très largement un plat allant au four, recouvrez le fond avec le hachis d'échalotes et de champignons, posez le poisson sur ces éléments.

■ Délayez la crème avec le vin blanc, assaisonnez d'un peu de sel et de poivre concassé. Versez sur la julienne, glissez au four et laissez cuire 25 minutes environ (selon l'épaisseur du poisson).

■ Servez chaud dans le plat de cuisson.

 un muscadet

FILET DE BŒUF PERIGOURDINE

FILET DE JULIENNE AU FOUR

Préparation : 40 mn
Cuisson : 1 h 30 mn

pour 6 personnes

Un kilo 200 de filet de porc, préparé en rôti
15 clous de girofle
10 grains de poivre
une pincée de gros sel
une demi-cuillerée à café
de poudre de cannelle
60 g de beurre ramolli
50 cl de chinon rouge
un kilo de cerises
douces (sauf les montmorency)
2 cl 5 de kirsch
une cuillerée à café de fécule
sel et poivre

■ Pilez dans un mortier, 3 clous de girofle, les grains de poivre, le gros sel et la cannelle. Mélangez cette préparation à la moitié du beurre. Vous pouvez aussi passer tous ces éléments au mixer.

■ Allumez le four (th. 7 - 220º).

■ Enduisez le rôti de porc de beurre aux épices et piquez-en le dessus avec le reste des clous de girofle. Beurrez un plat allant au four, placez-y le rôti et enfournez. Arrosez la viande de temps en temps avec quelques cuillerées de chinon.

■ Équeutez et dénoyautez les cerises. Pressez-en 200 g pour en retirer le jus, réservez-le. Versez le reste des cerises dans une casserole avec 40 cl de chinon, faites-les cuire à feu doux.

■ Retirez le filet de porc du four après une heure et quinze minutes de cuisson. Arrosez-le avec le kirsch, flambez-le et préservez-le sur un plat chaud. Déglacez le plat de cuisson avec le jus des cerises réservé, laissez réduire la sauce de moitié. Liez-la ensuite, sur feu doux, avec la fécule délayée dans une cuillerée de vin froid puis incorporez-y les cerises et leur jus de cuisson. Mélangez bien le tout, et entourez le rôti de cette garniture. Servez sans attendre.

 un chinon rouge

Préparation : 1 h
Cuisson : 2 h

pour 4 personnes

un kilo 250 de filet d'agneau pris
dans la selle, désossé et bardé
300 g de nouilles fraîches
une carotte longue
une courgette
une cuillerée à soupe d'huile
sel et poivre
Pour la sauce :
les os de la selle d'agneau
2 carottes
un poireau
2 oignons
une gousse d'ail
un bouquet garni
un demi-litre d'eau chaude
6 cuillerées à soupe de vin blanc
une petite pincée de sucre
6 cuillerées à soupe
de crème fraîche

■ Commencez par préparer un fond de sauce. Epluchez, lavez et coupez en petits dés les carottes, les oignons et le poireau. Ecrasez la gousse d'ail. Mettez les os de la selle dans un plat à rôtir à bords hauts et glissez celui-ci dans le four très chaud. Lorsque les os ont bruni, ajoutez les légumes, le bouquet garni et l'eau chaude. Salez, poivrez et remettez le plat, à four moyen, pendant une heure.

■ Posez le filet d'agneau dans un autre plat à four et badigeonnez-le avec une cuillerée à soupe d'huile. Assaisonnez-le, puis mettez-le à cuire à four chaud thermostat 8-250º, pendant 30 à 40 minutes, selon que vous voulez obtenir une viande plus ou moins saignante.

■ Otez les os du fond de sauce, dégraissez-le et passez-le au chinois en pressant un peu sur les légumes. Versez le jus obtenu dans une casserole, ajoutez le vin blanc, la pincée de sucre et faites réduire de moitié. Incorporez alors la crème et laissez épaissir la sauce. Rectifiez l'assaisonnement. Faites cuire les nouilles dans une marmite d'eau salée en les remuant au départ pour les empêcher de coller. D'autre part, grattez la carotte, lavez-la ainsi que la courgette. A l'aide d'un couteau canneleur, prélevez des filets de carotte et de courgette. Plongez ces filets dans une casserole d'eau bouillante salée. Egouttez-les après 3 minutes d'ébullition et passez-les sous le robinet d'eau froide.

■ Egouttez les nouilles cuites « al dente », c'est-à-dire encore un peu fermes. Remettez-les dans la casserole. Réservez quelques filets de carotte et de courgette, et ajoutez les autres aux nouilles avec trois cuillerées à soupe de sauce. Réchauffez doucement pendant deux ou trois minutes. Rectifiez l'assaisonnement et versez le tout sur un plat de service chaud. Découpez le filet en tranches et disposez-les sur les nouilles. Coupez en petits morceaux les filets de carotte et de courgette réservés, répartissez-les sur la sauce, et servez.

 un mercurey

FILET DE PORC AUX CERISES

FILET DE PRÉ-SALÉ AUX NOUILLES FRAICHES

Préparation : 35 mn
Cuisson : 50 mn

Pour 4 personnes

Un filet mignon de veau de 800 g environ
400 g de tagliatelles fraîches
250 g de champignons : chanterelles, mousserons, pleurotes etc...
une échalote
70 g de beurre
200 g de crème fraîche
un pincée de sauge en poudre
sel et poivre

■ Préchauffez le four th 7 - 210°. Parez le filet mignon, assaisonnez-le et ficelez-le comme un rôti. Placez-le dans un plat à four de même longueur. Badigeonnez le filet mignon avec 20 g de beurre ramolli et saupoudrez-le légèrement de sauge, de sel et de poivre. Couvrez-le d'une feuille d'aluminium et enfournez pour 50 minutes. Au bout de 25 minutes, retirez la feuille d'aluminium et ajoutez au besoin une ou deux cuillerées d'eau chaude dans le fond du plat pour éviter que les sucs de la viande caramélisent puis brûlent.

■ Coupez le pied terreux des champignons. Jetez-les dans une grande cocotte d'eau bouillante, égouttez-les à la reprise de l'ébullition et passez-les sous le robinet d'eau froide. Epongez-les. Gardez les petits entiers, coupez les plus gros en deux ou en quatre morceaux.

■ Epluchez et hachez l'échalote. Faites fondre 20 g de beurre dans une petite poêle, ajoutez l'échalote hachée. Laissez-la fondre doucement jusqu'à à ce qu'elle soit translucide puis ajoutez la crème, du sel et du poivre. Laissez bouillir 2 à 3 minutes, puis réservez.

■ Plongez les pâtes dans une grande quantité d'eau salée. Laissez-les cuire 6 à 7 minutes. Goûtez-les en fin de cuisson elles doivent rester légèrement fermes.

■ Pendant la cuisson des pâtes, faites fondre le reste de beurre dans une poêle sur feu moyen. Ajoutez les champignons, remuez-les pendant 4 à 5 minutes. Egouttez soigneusement les pâtes et mélangez-les avec les champignons. Assaisonnez et tenez le tout au chaud dans la poêle.

■ Retirez le filet mignon sur la planche à découper. Dégraissez son jus de cuisson et versez dans le plat le mélange de crème et d'échalote. Remuez sur feu doux pour décoller les sucs de la viande jusqu'à l'ébullition. Passez cette sauce au chinois, rectifiez son assaisonnement.

■ Coupez le filet mignon en tranches, disposez celles-ci sur des assiettes chaudes ou un plat de service. Garnissez avec les pâtes et les champignons. Nappez avec la sauce et servez aussitôt, décorez avec un peu de persil.

)━ Il est possible de choisir un vin blanc riche et séveux sur ce plat : Meursault-Charmes, Bâtard-Montrachet ●━ 10°
Si vous préférez un vin rouge, optez pour un Bordeaux d'âge moyen, tendre et léger : Domaine de Chevalier 1980.

Préparation : 40 min
Cuisson : 50 min

pour 4 ou 5 personnes

un lobe de foie de porc de 800 g
une crépine
2 citrons
20 g de beurre
2 brins de thym
quelques branches de persil
sel et poivre
Pour la purée :
un kilo de pommes de terre
20 g de beurre
un jaune d'œuf

■ Epluchez et lavez les pommes de terre. Mettez-les dans un faitout, recouvrez-les d'eau froide, salez. Couvrez le faitout et mettez à cuire sur feu moyen pendant vingt minutes environ.

■ Préchauffez le four th 8 - 240°. Mettez la crépine à tremper dix minutes dans un saladier d'eau froide.

■ Egouttez et épongez la crépine. Etalez-la et pliez-la en deux. Posez le lobe de foie sur la table de travail. Salez-le et poivrez-le intérieurement. Emiettez dessus un brin de thym. Refermez-le et entourez-le de la crépine double. Coupez l'excédent de celle-ci. Ficelez comme un rôti.

■ Posez le foie ainsi préparé dans un plat à four, salez et poivrez le dessus. Ajoutez 20 g de beurre en petits morceaux dans le plat et une cuillerée à soupe d'eau. Enfournez et comptez trente minutes de cuisson. Laissez-le ensuite reposer cinq à dix minutes dans le four éteint, porte entrouverte.

■ Passez les pommes de terre au presse-purée. Délayez-les avec une louche ou deux d'eau de cuisson. Ajoutez le beurre et le jaune d'œuf et battez bien la purée. Salez et poivrez. Réservez la purée au chaud dans le four.

■ Retirez le rôti de foie du plat, posez-le sur la planche et découpez-le en tranches. Disposez celles-ci sur le plat de service. Déglacez le plat de cuisson avec le jus d'un citron et passez cette sauce au chinois. Nappez-en les tranches de foie ou présentez-la à part. Décorez le plat de demi-rondelles de citron, de persil plat et de thym frais. Servez avec la purée de pommes de terre bien chaude.

)━ ce plat nécessite un vin jeune et d'expression simple : un Minervois ●━ 14°

FILET MIGNON AUX PÂTES FORESTIÈRES

FOIE DE PORC ROTI EN CREPINE

Préparation: 30 mn
Cuisson: 40 mn

pour 4 personnes

8 artichauts
un kilo de pommes de terre
bintje
25 cl de lait
2 oeufs
75 g de beurre
40 g de gruyère râpé
sel et poivre

■ Arrachez la queue des artichauts pour retirer en même temps les fibres longues. Lavez-les à grande eau. Cuisez-les en autocuiseur à l'eau bouillante salée pendant 12 mn à compter de la rotation de la soupape. Egouttez-les ensuite, retirez-en les feuilles et le foin et réservez les fonds.

■ Faites cuire également à la vapeur les pommes de terre préalablement épluchées et lavées. Egouttez-les puis réduisez-les en purée. Chauffez le lait et versez-le sur la purée en battant celle-ci. Incorporez ensuite un oeuf entier et le beurre coupé en morceaux en continuant de battre. Salez et poivrez. Versez cette préparation dans une poche à douille.

■ Allumez le four th 7-220°. Rangez les fonds d'artichauts dans un plat allant au four. Garnissez-les de purée avec la poche à douille. Badigeonnez délicatement la purée avec un pinceau trempé dans le dernier oeuf, battu en omelette. Saupoudrez de gruyère râpé et mettez au four pendant 15 mn.

■ Servez les fonds d'artichauts soufflés avec un rôti de boeuf ou de veau.

Préparation : 1 h
Cuisson : 1 h

pour 4 personnes

400 g de pâte feuilletée
200 g d'échine de porc maigre
et désossée
100 g d'épaule de veau
100 g de lard gras
une petite boîte de pelures
de truffe
une cuillerée à soupe de cognac
un œuf, sel et poivre
Pour la sauce poivrade :
2 oignons, une carotte, 2 échalotes
80 g de petits lardons fumés
30 g de beurre, 30 g de farine
30 cl de bouillon
10 cl de vin blanc sec
10 cl de vinaigre blanc
un éclat de feuille de laurier
un brin de thym, 2 brins de persil
une petite branche de céleri
une petite cuillerée
de poivre concassé

■ Hachez la viande de porc et de veau avec le lard gras. Ajoutez les pelures de truffe et la moitié de leur jus, puis le cognac. Salez, poivrez et mélangez bien le tout pour obtenir une farce homogène. Partagez-la en quatre parts.

■ Etalez la pâte feuilletée sur deux millimètres d'épaisseur. Découpez-y quatre cercles de 18 centimètres de diamètre en vous servant, par exemple, d'une petite assiette renversée. Garnissez la moitié de chaque cercle d'une part de farce en laissant un espace libre d'un centimètre sur le bord.

■ Préparez la sauce poivrade. Faites revenir au beurre, dans une sauteuse, les oignons émincés, les carottes coupées en dés et les lardons. Remuez et laissez bien rissoler. Saupoudrez avec la farine, mélangez avec la cuillère en bois pour obtenir un roux brun. Mouillez peu à peu avec le bouillon chaud en continuant de remuer et laissez cuire doucement pendant 20 minutes. Pendant ce temps, versez dans une petite casserole : le vin blanc, le vinaigre, les échalotes hachées, les aromates et le poivre concassé. Laissez réduire de moitié à petit feu, puis versez le tout dans la sauteuse. Remuez, donnez quelques bouillons et passez la sauce au chinois.

■ Allumez le four th. 6-200°. Cassez l'œuf, séparez le jaune du blanc. Trempez un pinceau dans le blanc d'œuf et passez-le sur les bords de chaque cercle. Rabattez ensuite la partie libre sur celle contenant la farce et pressez les bords pour les souder. Badigeonnez les friands de jaune d'œuf battu avec un peu d'eau. Enfournez et comptez une heure de cuisson. Servez les friands très chauds avec la sauce poivrade.

▶ un cahors

N.B. : La sauce poivrade peut être préparée à l'avance et réchauffée au moment de servir.

FONDS D'ARTICHAUTS SOUFFLÉS

FRIANDS TRUFFÉS SAUCE POIVRADE

Préparation: 45 mn
Cuisson: 1 h 10 mn

pour 6 personnes

Pour la pâte:
500 g de farine
200 g de beurre ou de margarine
10 g de sel
un oeuf
un verre d'eau
15 g de beurre pour le moule
Pour la garniture:
un kilo de pommes de terre
- un oignon
3 gousses d'ail
un petit bouquet de persil
30 g de beurre
20 cl de crème fraîche
une cuillerée à soupe de lait
sel et poivre

■ Versez la farine dans une terrine, creusez une fontaine et ajoutez le beurre coupé en morceaux, le sel et un oeuf entier. Pétrissez le tout en ajoutant l'eau peu à peu. Roulez ensuite la pâte en boule et laissez-la reposer 20 mn.

■ Pendant ce temps, épluchez et lavez les pommes de terre, coupez-les en lamelles très fines. Epluchez l'oignon et les gousses d'ail, lavez le persil et hachez le tout.

■ Dans un saladier mélangez les lamelles de pommes de terre avec le hachis d'oignon, d'ail et de persil. Salez, poivrez. Allumez le four th 5-6, 180-200°. Beurrez une tourtière à bords hauts ou un plat allant au four.

■ Etalez les deux-tiers de la pâte et foncez-en la tourtière ou le plat en laissant déborder la pâte de 2 cm environ. Répartissez au fond les lamelles de pommes de terre, éparpillez dessus le beurre coupé en petits morceaux. Etalez le reste de pâte et recouvrez-en les pommes de terre. Rabattez la pâte tout autour en roulant les bords et crantez avec la lame d'un couteau. Badigeonnez la surface du gâteau avec un pinceau trempé dans le lait. Augmentez le thermostat à 7-220°, enfournez et cuisez pendant 1 h 10 mn.

■ Au moment de servir, chauffez légèrement la crème dans une casserole. Retirez le gâteau du four. Découpez un cercle au centre du couvercle, versez-y la crème, refermez l'orifice et servez.

 un sancerre rouge

Préparation : 30 mn
Cuisson : 1 h 15 mn

pour 6 personnes

8 aubergines
6 oignons
un beau bouquet de persil
4 gousses d'ail
un verre d'huile d'olive
500 g de chair à saucisse
un bol de mie de pain rassis
humectée de lait et bien pressée
une tasse à thé de farine
un pincée de poudre de thym
2 feuilles de laurier
sel fin et poivre

■ Pelez deux aubergines, coupez-les en dés aussi fins que possible, saupoudrez-les légèrement de sel fin, laissez-les dégorger 30 minutes. Lavez et essuyez les autres aubergines. Coupez-les sans les peler dans leur longueur en tranches d'un demi-centimètre d'épaisseur. Saupoudrez-les de sel fin pour les faire également dégorger.

■ Préparez la farce : hachez très finement les oignons, le persil et 3 gousses d'ail. Faites blondir les oignons dans 3 cuillerées à soupe d'huile. Ajoutez les dés d'aubergine épongés, laissez-les cuire à feu moyen avant d'y mélanger la chair à saucisse. Faites revenir le tout en émiettant la chair à la fourchette et en la travaillant avec les autres éléments. Ajoutez le hachis d'ail et de persil, la mie de pain, la poudre de thym, assaisonnez. Tenez au chaud cette préparation qui doit être très homogène.

■ Épongez et farinez les tranches d'aubergines, faites-les dorer à la poêle dans le reste d'huile chaude. Égouttez-les.

■ Allumez le four, (th. 6). Frottez l'intérieur d'un plat en terre avec la dernière gousse d'ail. Enduisez-le d'huile, placez au fond une feuille de laurier et remplissez-le de couches alternées de tranches d'aubergines et de farce, en disposant au fur et à mesure des tranches d'aubergines autour du moule. Terminez par des tranches d'aubergines, posez dessus la seconde feuille de laurier. Glissez au four, laissez cuire une heure.

■ Démoulez sur le plat de service et servez très chaud.

GATEAU BOURBONNAIS

GATEAU D'AUBERGINES

Recette de Raymond Thuillier
L'Oustau de Baumanière
Les Baux-de-Provence

Préparation :   45 mn
Cuisson :   45 mn

pour 4 ou 5 personnes

un gigot d'agneau d'un kilo environ
800 g de pâte feuilletée
3 rognons d'agneau
100 g de beurre
10 cl de madère
200 g de champignons de Paris
un bouquet garni composé
d'un brin de thym,
d'un peu de romarin et
d'une petite branche d'estragon
un jaune d'œuf, sel et poivre

Pour le gratin de pommes de terre :
un kilo de pommes de terre
500 g de crème fleurette
ou 350 g de crème épaisse
et 15 cl de lait
une gousse d'ail
20 g de beurre, noix de muscade

■ Demandez au boucher de désosser le gigot. Parez les rognons d'agneau, découpez-les en petits cubes. Coupez la partie terreuse du pied des champignons, lavez-les, égouttez-les ; émincez les plus gros.

■ Allumez le four th. 7-210°. Epluchez et lavez les pommes de terre. Coupez-les en rondelles fines, épongez-les dans du papier absorbant. Frottez un plat à gratin avec une gousse d'ail, beurrez-le. Disposez dessus une couche de rondelles de pommes de terre, salez, poivrez. Renouvelez l'opération jusqu'à épuisement des pommes de terre. Salez et poivrez la crème fleurette. Ajoutez un peu de noix de muscade râpée et recouvrez-en le gratin. Si vous utilisez de la crème épaisse, délayez-la avec le lait et assaisonnez-la. Faites cuire le gratin au four pendant 45 mn à 1 h, selon la qualité des pommes de terre. Vérifiez la cuisson avec une lame de couteau au centre du plat. Si le gratin colore trop vite, couvrez-le avec une feuille d'aluminium.

■ Faites fondre 40 g de beurre dans une poêle, lorsqu'il est blond et bien chaud, ajoutez les rognons. Salez, poivrez. Remuez avec la spatule pour bien les saisir. Déglacez aussitôt avec le madère. Ajoutez encore les champignons et le bouquet garni. Mélangez bien le tout, sur feu moyen pendant 3 à 4 minutes. Laissez reposer.

■ Remplissez la cavité laissée par l'os du gigot avec la préparation de rognons et de champignons. Reconstituez le gigot en rapprochant les chairs, mettez-le dans un plat à four, badigeonnez-le de beurre, assaisonnez-le. Enfournez 15 mn à four vif pour saisir la viande et lui faire rendre son eau.

■ Etalez finement au rouleau la pâte feuilletée sur le plan de travail fariné. Posez le gigot au centre et repliez la pâte pour bien l'enfermer. Découpez des petites feuilles dans les chutes de pâte et collez-les en les humectant avec un peu d'eau. Délayez le jaune d'œuf avec quelques gouttes d'eau froide, trempez-y un pinceau et badigeonnez tout le gigot pour qu'il dore à la cuisson. Remettez-le 15 à 20 mn au four pour achever la cuisson. Présentez le gigot aux convives, dans sa croûte dorée. Servez à part le gratin de pommes de terre.

un rouge élégant : Pauillac, 14-15°

Préparation :   20 mn
Cuisson :   50 mn

pour 6 personnes

Un kilo de pommes de terre
50 g de beurre
une gousse d'ail
150 g de fromage râpé
2 œufs
10 cl de crème fraîche
6 dl de lait
sel et poivre
muscade râpée

■ Epluchez, lavez et épongez les pommes de terre. Coupez-les en rondelles d'un demi-centimètre d'épaisseur. Allumez le four qui doit être très chaud (th. 8).

■ Frottez un plat à gratin en terre avec la gousse d'ail, enduisez-le avec la moitié du beurre. Couvrez le fond d'une couche très régulière de pommes de terre, saupoudrez-les avec une partie du fromage râpé. Continuez ainsi, en couches régulières, jusqu'à épuisement des pommes de terre.

■ Cassez les œufs, battez-les en omelette avec la crème. Mélangez-les avec le lait, assaisonnez de sel, de poivre et d'un peu de muscade râpée. Versez sur les pommes de terre. Saupoudrez le dessus du plat avec le reste du fromage râpé et disposez sur celui-ci le reste de beurre coupé en petits morceaux. Glissez 15 minutes à four très chaud puis réduisez la température de celui-ci (th. 5 à 6) jusqu'à cuisson complète.

■ Servez le gratin bien doré dès la sortie du four, dans le plat de cuisson.

LE GIGOT EN CROÛTE ET SON GRATIN

GRATIN DAUPHINOIS

Préparation : 25 mn
Cuisson : 30 mn environ

pour 6 personnes

Un kilo de haricots verts frais
50 g de beurre
40 g de farine
100 g de crème fraîche
3 dl de lait chaud
3 cuillerées à soupe
de concentré de tomates
125 g de gruyère râpé
6 tranches de jambon
sel et poivre

■ Éffilez les haricots verts, coupez-les en deux s'ils sont trop longs, lavez-les et faites-les cuire 15 minutes à l'eau bouillante salée.

■ Pendant cette cuisson, préparez la sauce : faites un roux blanc avec le beurre et la farine. Laissez-le cuire 2 à 3 minutes en remuant à la cuillère en bois puis délayez-le avec le lait chaud. Faites-le épaissir à feu doux, sans cesser de remuer et en évitant l'ébullition qui donnerait un goût de colle à la sauce. Incorporez-lui d'abord la crème et le concentré de tomates puis, après 3 minutes de cuisson, 100 g de gruyère râpé. Retirez du feu.

■ Égouttez parfaitement les haricots verts, liez-les avec la moitié de la sauce. Répartissez-les ensuite sur les tranches de jambon. Roulez celles-ci et placez-les dans un plat à gratin. Nappez-en le dessus avec le reste de sauce, saupoudrez avec le reste de râpé et glissez le plat sous le gril du four. Laissez dorer 10 minutes.

■ Servez chaud dans le plat de cuisson.

Préparation : 45 min
Cuisson : 1 h

pour 6 personnes

un kilo de pommes de terre
BF 15 ou Roseval
4 poireaux
une gousse d'ail
25 cl de lait
25 cl de crème fraîche
100 g de comté ou de gruyère râpé
80 g de beurre
sel, poivre et
noix de muscade
un plat à four de 2 litres
de contenance

■ Epluchez les poireaux, supprimez la partie dure des feuilles vertes et lavez-les soigneusement. Coupez-les ensuite en tronçons de 4 centimètres et fendez ceux-ci en quatre dans la longueur. Jetez-les dans une casserole d'eau bouillante salée pour les blanchir. Egouttez-les 3 minutes après la reprise de l'ébullition.

■ Pelez et lavez les pommes de terre. Découpez-les en rondelles fines avec le robot-coupe comme pour des chips.

■ Frottez d'ail le plat à four puis beurrez-le copieusement. Disposez au fond une couche de rondelles de pommes de terre en les superposant à moitié. Salez, poivrez et saupoudrez avec le tiers du gruyère râpé. Etalez dessus la moitié des poireaux blanchis. Recouvrez de rondelles de pommes de terre, de poireaux et de gruyère râpé, salez, poivrez et terminez par une couche de pomme de terre.

■ Allumez le four th. 6 - 180°. Versez le lait et la crème dans une casserole. Ajoutez une pincée de sel, du poivre et un peu de noix de muscade râpée. Remuez, faites tiédir sur feu doux et arrosez les pommes de terre de ce mélange. Saupoudrez avec le reste de gruyère râpé et répartissez sur le tout, le reste de beurre coupé en petits morceaux. Salez, poivrez.

■ Glissez le plat dans le four et laissez cuire une heure à four moyen. Si le gratin colore trop vite, recouvrez-le d'une feuille d'aluminium. Vérifiez la cuisson avec une lame de couteau, on ne doit sentir aucune résistance lorsqu'elle traverse les rondelles de pommes de terre.

■ Servez ce gratin bien chaud avec des chipolatas ou des crépinettes grillées. Il accompagne aussi très bien le rosbeef, l'épaule ou le gigot d'agneau et toutes les grillades.

❱ celui du plat principal

GRATIN DE HARICOTS VERTS

GRATIN DE POIREAUX ET DE POMMES DE TERRE

Préparation : 25 mn
Cuisson : 1 h

pour 6 personnes

2 kilos de potiron épluché
120 g de beurre
3 cuillerées à soupe de farine
un demi-litre de lait
4 œufs
sel, poivre et muscade

■ Coupez le potiron en cubes de trois centimètres de côté. Faites fondre 70 g de beurre dans une cocotte sur feu doux, jetez-y les morceaux de potiron. Remuez de temps en temps pendant la cuisson ; il faut compter 25 minutes environ pour que le potiron soit bien cuit. Réduisez-le ensuite en purée épaisse.

■ Allumez le four (th. 7-8, 220-250°).

■ Préparez une béchamel avec le reste de beurre, la farine et le lait. Incorporez-y ensuite la purée de potiron. Assaisonnez de sel, de poivre et d'un peu de muscade.

■ Battez les œufs en omelette, mélangez-les à la préparation précédente. Versez ensuite dans un plat à gratin. Enfournez 35 minutes à four chaud.

■ Servez dans le plat de cuisson, dès la sortie du four.

Préparation : 20 mn
Cuisson : 20 mn

pour 6 personnes

3 oignons assez gros
50 g de beurre
un litre un quart de bouillon
de bœuf
une demi-bouteille
de champagne
(à défaut :
un verre de vin blanc sec)
50 g de roquefort très bleu
la moitié
d'un camembert coulant
un petit verre de cognac
une demi-flûte à potage
sel et poivre
un peu de Cayenne
100 g de comté râpé

■ Faites revenir les oignons finement émincés dans le beurre chaud. Remuez-les souvent : aucun ne doit noircir mais tous doivent prendre une couleur caramel. Mouillez avec le vin blanc et le bouillon, laissez cuire 10 minutes. Si vous utilisez du champagne, ajoutez-le 3 minutes avant la fin de la cuisson seulement.

■ Pendant ce temps, travaillez à la fourchette (ou au mixer) le roquefort, le camembert sans la croûte et le cognac. Ne salez pas mais poivrez.

■ Passez ou non selon les goûts le potage pour en éliminer les oignons. Délayez la crème de fromage dans le bouillon chaud, laissez cuire 2 minutes à feu doux en remuant. Goûtez le bouillon pour en rectifier l'assaisonnement, relevez-le de cayenne, versez dans les écuelles.

■ Coupez la flûte en fines tranches, faites griller ces tranches au four, répartissez-les dans chaque écuelle. Saupoudrez-les de fromage râpé. Faites gratiner sous le gril du four. Servez très chaud.

GRATIN DE POTIRON

GRATINÉE DE FÊTE

Préparation : 15 mn
Cuisson : 15 mn

pour 4 personnes

**4 belles tranches épaisses
de jambon cuit à l'os
(jambon d'York)
40 g de beurre
2 grands verres de meursault
3 branches d'estragon
3 échalotes
4 cuillerées à soupe
de vinaigre
une demi-cuillerée à soupe
de poivre concassé
3 dl de crème épaisse
une cuillerée à soupe
de concentré de tomates
une cuillerée à soupe
de beurre manié
sel fin**

■ Mettez le meursault et l'estragon (après en avoir prélevé 4 feuilles pour le décor) à bouillir à petit feu; dès que l'ébullition commence, retirez du feu, laissez infuser 10 minutes.

■ Beurrez largement un plat allant au four dans lequel vous placerez les tranches de jambon, couvrez avec le meursault, posez sur le plat une feuille de papier beurré; mettez à four moyen 10 minutes.

■ Faites réduire dans une petite casserole les échalotes très finement hachées avec le vinaigre et le poivre concassé jusqu'à ce que le liquide soit presque complètement évaporé.

■ Quand le jambon est chaud, versez le vin dans une casserole, faites-le réduire d'un tiers, ajoutez la réduction d'échalotes, la crème, le concentré de tomates; mettez à feu moyen, battez au fouet, liez cette sauce avec le beurre manié, rectifiez l'assaisonnement.

■ Nappez-en les tranches de jambon, décorez avec les feuilles d'estragon.

   un meursault

Préparation : 15 mn
Cuisson : 1 h

pour 6 personnes

**6 belles laitues
50 g de beurre
un bouquet de sarriette
ou une cuillerée
de sarriette séchée
un bol de bouillon
sel et poivre**

■ Retirez les feuilles flétries et coupez le trognon des laitues. Laissez-les entières, lavez-les soigneusement.

■ Faites bouillir de l'eau salée dans une grande marmite. Plongez-y les laitues pendant 5 minutes pour les blanchir. Retirez-les ensuite avec l'écumoire et passez-les sous le robinet d'eau froide. Egouttez-les bien en les pressant pour en extraire toute l'eau. Retournez-les sur un torchon.

■ Allumez le four (th. 5-6 - 180-200°).

■ Enduisez un plat à four avec une partie du beurre. Disposez les laitues, côte à côte dans ce plat, en intercalant chaque fois une branche de sariette (ou en saupoudrant de sarriette séchée). Parsemez le dessus de petits morceaux de beurre et arrosez le tout de bouillon. Assaisonnez modérément. Beurrez un papier d'aluminium et recouvrez-en les laitues.

■ Glissez le plat au four et laissez cuire jusqu'à réduction complète du bouillon.

■ Servez chaud dans le plat de cuisson.

JAMBON AU MEURSAULT

LAITUES BRAISÉES

**Préparation : 1 h
Cuisson : 45 mn**

Pour 4 personnes

**500 g d'épaule d'agneau désossée
3 belles aubergines
une grande boîte de
tomates pelées au jus
10 cl d'huile d'olive
un gros oignon
une gousse d'ail
une cuillerée à soupe
de persil haché
une cuillerée à café de paprika
100 g de gruyère râpé
sel et poivre
un moule à moussaka d'un litre
et demi de contenance environ**

**Pour la béchamel :
40 g de beurre
2 cuillerées à soupe
rases de farine
40 cl de lait
noix de muscade**

■ Lavez, essuyez les aubergines. Otez la partie verte de la queue et coupez-les en tranches d'un centimètre d'épaisseur dans la longueur. Disposez ces tranches dans un plat, poudrez-les de sel fin et laissez-les dégorger 30 minutes.

■ Dégraissez l'épaule d'agneau, coupez-la en morceaux. Passez ceux-ci au hachoir grille fine ou au robot-coupe. Rincez les tranches d'aubergines à l'eau froide, égouttez-les sur du papier absorbant. Epluchez l'oignon et la gousse d'ail, coupez l'oignon en lamelles dans la longueur, hachez la gousse d'ail. Faites chauffer 2 cuillerées à soupe d'huile dans une poêle antiadhésive, ajoutez les lamelles d'oignon, remuez-les pendant 7 à 8 minutes. Ajoutez ensuite l'épaule d'agneau hachée, faites-la saisir 5 minutes en remuant. Egouttez les tomates, coupez-les en morceaux et versez ceux-ci dans la poêle. Assaisonnez avec sel, poivre au moulin et paprika. Mélangez le tout et laissez mijoter pendant 10 minutes. Ajoutez encore l'ail et le persil hachés. Remuez encore une minute, rectifiez l'assaisonnement, puis réservez cette préparation.

■ Epongez les tranches d'aubergines. Faites chauffer 2 cuillerées à soupe d'huile dans la poêle. Lorsqu'elle est bien chaude, rangez-y des tranches d'aubergines, côte à côte, laissez-les dorer une minute environ puis retournez-les sur l'autre face. Retirez-les ensuite sur du papier absorbant puis renouvelez l'opération jusqu'à ce que toutes les tranches d'aubergines soient dorées, en rajoutant au besoin de l'huile dans la poêle. Beurrez le moule. Tapissez-le de tranches d'aubergines dans la longueur. Versez dessus la préparation à la viande. Saupoudrez-la avec la moitié du fromage râpé. Recouvrez-la de tranches d'aubergines.

■ Préchauffez le four th 6 - 180°, préparez la béchamel. Faites chauffer le lait. Mettez le beurre dans une casserole sur feux doux, lorsqu'il est tout juste fondu, ajoutez la farine en remuant très vite avec la cuillère en bois puis versez peu à peu le lait chaud en continuant de remuer. Faites cuire en remuant constamment jusqu'à ce que la sauce épaississe et bout. Salez, poivrez, ajoutez un peu de muscade et laissez cuire la béchamel 5 à 6 minutes en continuant de la remuer. Ajoutez le reste de fromage râpé. Rectifiez l'assaisonnement. Nappez les aubergines de béchamel et mettez le plat au four pour 45 minutes. Protégez au besoin la moussaka en fin de cuisson avec une feuille d'aluminium.

▶━ **Pas de vins fragiles mais des rouges capiteux, exemple : un Gigondas ●━━⊃ 16°**

**Préparation :   25 mn
Cuisson :   1 h 10 mn**

pour 4 personnes

**2 mulets de 750 g
6 oignons moyens
4 gousses d'ail
3 citrons
2 verres de vin blanc sec
un dl d'huile d'olive
une cuillerée à café
de graines de coriandre
80 g d'olives noires
5 tomates
sel et poivre**

■   Épluchez et émincez finement les oignons et l'ail. Pressez le jus de 2 citrons. Versez dans une casserole le vin blanc, l'huile d'olive, les oignons, l'ail, le jus de citron et les graines de coriandre. Portez à feu doux et laissez frémir légèrement 7 à 8 minutes, puis assaisonnez.

■   Écaillez, videz, lavez les mulets. Épongez-les, assaisonnez-les. Versez la préparation précédente dans un plat allant au four, disposez les poissons dessus. Entourez-les avec les olives.

■   Allumez le four (th. 5-6, 180-200°).

■   Coupez le dernier citron en demi-rondelles assez fines. Lavez et essuyez les tomates. Coupez-en 3 en rondelles. Pelez les 2 autres, épépinez-les, concassez-les. Disposez ces tomates concassées également autour des poissons. Recouvrez ces derniers avec les demi-rondelles de citron puis avec les rondelles de tomates, en les faisant se chevaucher comme les écailles de poisson.

■   Enfournez et laissez cuire une heure environ. En fin de cuisson, la sauce doit être très réduite et onctueuse.

■   Servez chaud dans le plat de cuisson.

▶━   **un blanc de Cassis**

MOUSSAKA AUX AUBERGINES

MULETS A LA GRECQUE

Préparation :   **1 h**
Cuisson :   **45 à 55 mn**

pour 4 personnes

1,200 kg de noix de veau,
bardée et ficelée
120 g de beurre
4 artichauts
un citron
500 g de pleurotes
une gousse d'ail
une cuillerée à soupe
de persil haché
un peu de cresson
sel et poivre

■ Allumez le four (th. 7-210 °). Mettez la noix de veau dans un plat allant au four. Badigeonnez-la avec 30 g de beurre ramolli. Salez, poivrez. Faites-la cuire en l'arrosant souvent avec son jus, à four chaud pendant vingt minutes, puis abaissez le thermostat à (6-180 °) et laissez s'achever la cuisson, qui peut varier selon l'épaisseur du rôti. En le piquant en fin de cuisson avec une broche, le jus qui s'échappe ne doit plus être rosé.

■ Préparez la garniture. Arrachez la queue des artichauts avec la main pour ôter le maximum de fibres. Lavez-les et égouttez-les. Avec un couteau à lame pointue et bien aiguisée, épluchez-les en partant de la base et en tournant comme pour peler un fruit. Lorsque vous arrivez aux feuilles blanches du cœur, coupez droit la partie restante. Pour les empêcher de noircir, frottez-les au fur et à mesure avec le citron coupé par la moitié. Jetez-les ensuite dans une casserole d'eau bouillante salée ; ne couvrez pas et laissez-les cuire jusqu'à ce qu'une lame de couteau les pénètre facilement. Egouttez-les. Retirez le cœur avec le foin et coupez-les en quartiers.

■ Coupez l'extrémité du pied des pleurotes. Lavez-les à grande eau avec un peu de vinaigre. Egouttez-les et coupez-les en deux ou en quatre morceaux selon leur grosseur. Mettez-les ensuite dans une grande poêle sur feu vif, sans matière grasse, pour leur faire rendre leur eau de végétation. Laissez celle-ci s'évaporer presque complètement, puis versez les champignons dans un égouttoir. Faites fondre 50 g de beurre dans la même poêle et lorsqu'il est bien chaud, remettez-y les champignons. Salez, poivrez. Remuez-les délicatement et laissez-les cuire pendant dix minutes. En fin de cuisson, ajoutez la gousse d'ail écrasée et le persil haché.

■ Faites sauter les quartiers d'artichauts à la poêle dans le reste de beurre bien chaud pendant cinq minutes.

■ Découpez la noix de veau en tranches régulières et disposez-les en vis-à-vis sur un plat de service chaud. Décorez le centre avec une touffe de cresson. Dégraissez le jus de cuisson, versez-en un peu au fond du plat et le reste en saucière. Présentez les artichauts et les champignons dans des légumiers. Servez aussitôt.

▶ **un chinon**

Préparation : 1 h
Cuisson : 2 h 30

Pour 8 personnes

une oie de 3 kilos avec ses abats
400 g de poitrine fumée
2 kilos de choucroute crue
9 pommes reine des reinettes
2 gousses d'ail
2 oignons
2 clous de girofle
8 baies de genièvre
4 grains de coriandre
2 feuilles de laurier
une bouteille de Riesling
ou de Crémant d'Alsace
25 cl d'eau
sel et poivre

■ Videz, flambez et parez l'oie. Otez les paquets de graisse qui se trouvent à l'intérieur et coupez-les en petits morceaux. Mettez-les dans une cocotte et faites-les fondre sur feu très doux. Assaisonnez l'oie intérieurement. Coupez le gésier, le foie et le cœur en petits dés ainsi que la moitié de la poitrine fumée. Mélangez-les avec une pomme pelée et coupée également en dés, du sel et du poivre. Glissez cette préparation avec une feuille de laurier dans le ventre de l'oie et cousez l'ouverture.

■ Lavez la choucroute à l'eau froide, égouttez-la puis rincez-la encore une fois à l'eau chaude. Egouttez-la puis pressez-la dans un torchon. Mettez-la ensuite dans la graisse d'oie fondue, ajoutez les oignons piqués chacun d'un clou de girofle, les gousses d'ail, l'autre feuille de laurier, les baies de genièvre et les grains de coriandre. Mouillez avec un demi-litre de vin blanc et l'eau. Salez modérément et poivrez généreusement au moulin. Couvrez et laissez cuire une heure et 30 minutes à petit feu, en remuant deux ou trois fois pour éviter que la choucroute attache au fond de la cocotte.

■ Pendant ce temps, allumez le four th. 8-240°. Placez l'oie dans un plat à four et faites-la dorer de tous côtés, à four chaud pendant 30 minutes.

■ Après une heure et demie de cuisson de la choucroute et lorsque l'oie est bien dorée, retirez-la du plat. Déglacez celui-ci avec le reste de vin blanc, faites bouillir 3 minutes sur le feu, passez le jus obtenu et réservez-le. Tapissez le plat de choucroute. Faites blanchir 5 minutes à l'eau bouillante le reste de la poitrine fumée, coupée en morceaux de la grosseur d'une bouchée. Répartissez ces morceaux dans la choucroute. Posez l'oie sur la choucroute, arrosez-la avec la moitié du jus et protégez-la avec une feuille d'aluminium. Remettez le plat au four et laissez s'achever la cuisson pendant une heure et 30 minutes à thermostat 5-150°. Une demi-heure avant la fin de la cuisson, ajoutez les autres pommes pelées puis évidées, autour de l'oie. Arrosez le tout avec le reste du jus.

■ Servez brûlant dans le plat de cuisson ou sur un plat de service chaud après avoir découpé l'oie.

▶ **Choisissez un vin alsacien pour ce plat, blanc : un Riesling** ●—— **8° ou rouge : un Pinot noir** ●—— **12°.**

NOIX DE VEAU A LA FAVORITE

OIE À LA CHOUCROUTE ET AUX POMMES

Préparation: 25 mn
Cuisson: 25 mn

pour 4 personnes

8 oeufs
4 oignons
40 g de beurre
une cuillerée à soupe de farine
25 cl de lait
50 g de gruyère râpé
noix de muscade
sel et poivre

■ Mettez les oeufs à durcir dans une casserole d'eau froide. Comptez 10 mn de cuisson.

■ Pendant ce temps, épluchez les oignons puis hachez-les grossièrement. Faites fondre le beurre dans une cocotte, jetez-y les oignons, remuez-les. Laissez-les blondir puis saupoudrez-les de farine. Remuez encore avec la cuillère en bois pour obtenir un roux blond et mousseux. Versez alors, peu à peu, le lait en remuant sans arrêt jusqu'à ce que la sauce soit liée. Salez, poivrez et parfumez avec un peu de noix de muscade râpée.

■ Les oeufs étant cuits, jetez l'eau chaude de la casserole et remplacez-la par de l'eau froide. Ecalez les oeufs, coupez-les par la moitié et rangez-les, au fur et à mesure, dans un plat allant au four.

■ Nappez les oeufs avec la sauce aux oignons, parsemez le tout de gruyère râpé et passez le plat quelques minutes sous le gril du four pour gratiner. Servez bien doré dans le plat de cuisson.

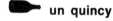 **un quincy**

Préparation: 15 mn
Cuisson: 25 mn

pour 4 personnes

4 oeufs
4 cuillerées à soupe
de crème fraîche
200 g de champignons de Paris
50 g de beurre
un citron
une échalote
paprika
sel et poivre

■ Coupez le pied sableux des champignons, lavez-les, essuyez-les bien, hachez-les finement. Epluchez l'échalote. Pressez le jus du citron.

■ Faites fondre le beurre dans une poêle, ajoutez l'échalote hachée, laissez-la blondir en remuant puis ajoutez les champignons et le jus de citron. Salez, poivrez. Laissez cuire à petit feu 10 mn environ.

■ Allumez le four th 6-7, 200-220°.

■ Beurrez quatre petits pots à oeufs ou à défaut des ramequins. Déposez une cuillerée à soupe de champignons dans le fond de chacun d'eux puis cassez un oeuf dessus. Remettez une cuillerée de champignons puis une cuillerée à soupe de crème fraîche et saupoudrez d'un peu de paprika. Fermez avec le couvercle ou couvrez avec une feuille d'aluminium.

■ Faites cuire au bain-marie pendant 10 mn. Servez chaud.

 **un bourgueil ou un chinon**

ŒUFS A LA TRIPE

ŒUFS AUX CHAMPIGNONS

Préparation: 20 mn
Cuisson: 20 mn

pour 2 personnes

4 oeufs
4 gros oignons
40 g de beurre
2 dl de vin rouge
un dl d'eau
sel et poivre

■ Epluchez puis émincez les oignons. Faites fondre le beurre dans une sauteuse pouvant aller au four. Ajoutez les oignons. Laissez-les fondre sur feu doux en les remuant. Salez et poivrez généreusement. Lorsque les oignons commencent à dorer, mouillez avec le vin rouge et l'eau. Poursuivez la cuisson à petits bouillons.

■ Allumez le four th 5,6 - 180,200°.

■ Lorsque le liquide est presque évaporé, cassez les oeufs sur les oignons légèrement creusés en quatre endroits. Glissez la sauteuse dans le four et comptez 8 à 10 mn de cuisson jusqu'à ce que les blancs soient pris.

■ Servez bien chaud avec des croûtons aillés.

🍾➤ **un bourgueil**

Préparation : 30 min
Cuisson : 15 min

pour 4 personnes

8 œufs
150 g d'oseille
125 g de beurre
250 g de crème fraîche
4 tranches de pain de campagne
sel et poivre
4 pots à œuf avec couvercle
ou 4 ramequins

■ Lavez puis égouttez l'oseille. Retirez les tiges des feuilles. Groupez-les par deux ou trois sur la planche à découper et taillez-les en chiffonnade.

■ Faites fondre 40 g de beurre dans une sauteuse, ajoutez la chiffonnade d'oseille. Remuez pendant cinq minutes jusqu'à ce qu'elle soit bien fondue. Ajoutez alors la crème fraîche, du sel et du poivre. Remuez et laissez bouillonner jusqu'à ce que la crème épaississe. Rectifiez l'assaisonnement et réservez au chaud.

■ Allumez le four th. 6-180°. Beurrez les pots à œuf avec un pinceau trempé dans 20 g de beurre fondu. Placez-les dans un plat allant au four, à demi rempli d'eau chaude mais non bouillante. Cassez deux œufs dans chaque pot, salez et poivrez. Mettez les couvercles et enfournez. Comptez cinq minutes environ de cuisson. Il faut que le blanc soit pris et que le jaune reste liquide.

■ Pendant cette cuisson, passez les tranches de pain au gril, coupez-les en mouillettes. Faites fondre le reste de beurre dans une poêle et rangez-y les mouillettes côte à côte. Retournez-les pour qu'elles dorent de tous côtés.

■ Ouvrez les pots à œuf. Remplissez-les de crème d'oseille. Servez en présentant les mouillettes à part.

🍾➤ **les vins blancs du Maconnais conviendront parfaitement avec une préférence pour un Pouilly-Fuissé car plus séveux, plus noble** 🌡➤ 8°

ŒUFS BOURBONNAIS

ŒUFS COCOTTE A LA CREME D'OSEILLE

Préparation : 20 mn
Cuisson : 25 mn

pour 6 personnes

9 œufs
3 petits suisses
un petit bouquet de ciboulette
persil
2 tiges de ciboule
un demi-litre de lait
50 g de beurre
50 g de farine
sel et poivre

■ Mettez les œufs à durcir dans une casserole d'eau froide salée, amenez à ébullition, laissez frémir 12 minutes.

■ Préparez la sauce béchamel, mélangez à feu doux le beurre et la farine. Quand la préparation commence à mousser, ajoutez tout le lait chaud. Laissez cuire 12 minutes, sans faire bouillir, en remuant à la cuillère de bois. Salez et poivrez.

■ Passez les œufs à l'eau froide, écalez-les et coupez-les en deux. Retirez les jaunes sans abîmer les blancs. Mettez les jaunes dans une terrine, ajoutez les petits suisses, les herbes très finement hachées, 2 cuillerées à soupe de béchamel, salez, poivrez, malaxez le tout pour obtenir une farce homogène.

■ Prélevez deux cuillerées de cette farce pour les incorporer à la béchamel. Avec le reste, garnissez chaque demi-blanc d'œuf en formant un dôme. Disposez ces œufs dans un plat mi-creux, nappez-les avec la sauce, réchauffez 7 à 8 minutes au four, servez très chaud.

 un chablis

Préparation: 20 mn
Cuisson: 20 mn

pour 4 personnes

4 œufs
2 cuillerées à soupe
d'huile d'olive
une cuillerée à café de paprika
4 cuillerées à café
de persil haché
une cuillerée à café
de cerfeuil haché
une cuillerée à café
de menthe hachée
2 cuillerées à soupe
de parmesan râpé
2 cuillerées à soupe
de chapelure
sel et poivre
Pour beurrer les ramequins:
20 g de beurre

■ Mettez les œufs à durcir dans une casserole d'eau bouillante salée. Retirez-les au bout de dix minutes, rafraîchissez-les sous le robinet d'eau froide puis écalez-les.

■ Prenez le bol du mixer, coupez-y les œufs en morceaux, ajoutez l'huile d'olive, le paprika, les herbes hachées, du sel et du poivre. Mixez quelques secondes. Incorporez ensuite le parmesan à la préparation.

■ Allumez le four th 6 - 200°. Beurrez 4 ramequins individuels. Répartissez-y l'appareil aux œufs. Saupoudrez le dessus de chapelure, enfournez et laissez dorer pendant 10 mn.

■ Servez bien chaud dans les ramequins.

 **un chianti**

ŒUFS FERMIERE

ŒUFS POLONAISE

Préparation : 40 mn
Cuisson : 1 h 10 mn

pour 8 personnes

Un kilo d'épaule d'agneau,
désossée et maigre
2 kilos d'épinards
un oignon
4 gousses d'ail
4 tranches de pain de mie rassis
4 cuillerées à soupe
d'huile d'olive
une cuillerée à soupe
de concentré de tomate
8 œufs
200 g de gruyère râpé
75 g de beurre
une pincée de noix
de muscade râpée
sel et poivre

Pour servir :
un bol de sauce tomate

■ Découpez la viande en petits dés. Épluchez, lavez les épinards. Placez-les dans une grande marmite avec deux verres d'eau. Remuez-les et laissez-les cuire 5 minutes.

■ Pendant ce temps, épluchez puis hachez l'oignon et les gousses d'ail. Écrasez le pain de mie.

■ Égouttez puis hachez les épinards. Versez-les de nouveau dans la passoire. Chauffez l'huile dans une cocotte, jetez-y les dés de viande. Remuez-les, puis ajoutez le hachis d'oignons et d'ail ainsi que le concentré de tomate. Assaisonnez et mouillez la préparation d'un verre d'eau chaude. Mélangez bien le tout, couvrez la cocotte et cuisez 30 minutes à feu doux.

■ Allumez le four (th. 7 - 220°).

■ Battez les œufs en omelette, incorporez-leur le gruyère râpé, la mie de pain et la noix de muscade râpée. Versez le tout dans la cocotte ainsi que les épinards. Mélangez bien et transvasez ensuite toute la préparation dans une terrine préalablement beurrée. Enfournez 15 minutes puis arrosez le dessus du plat avec le reste du beurre fondu. Remettez au four pendant 20 minutes après avoir abaissé le thermostat à 5 (180°).

■ Démoulez le pain sur un plat chaud. Présentez la sauce tomate à part.

 un mercurey

Préparation: 30 mn
Cuisson: 25 mn

pour 6 personnes

3 pamplemousses
une petite boîte de crabe
40 g de beurre
40 g de maïzena
3 oeufs
sel et poivre
Pour décorer (facultatif):
un ou 2 pamplemousses

■ Lavez et brossez les pamplemousses. Coupez-les par la moitié et pressez le jus. Enlevez les petites peaux restant à l'intérieur et conservez les écorces.

■ Egouttez le crabe, émiettez-le. Allumez le four th 6-200°.

■ Faites fondre le beurre dans une casserole, versez la maïzena en remuant avec la cuillère en bois. Délayez avec le jus des pamplemousses en continuant de remuer. Salez, poivrez. Ajoutez les jaunes d'oeufs puis le crabe émietté.

■ Montez les blancs d'oeufs en neige ferme. Incorporez-les au mélange précédent. Remplissez aussitôt les écorces de pamplemousse, rangez-les dans un plat allant au four. Enfournez et comptez 15 à 20 mn de cuisson, selon la grosseur des pamplemousses.

■ Servez dès la sortie du four. Décorez éventuellement de quartiers de pamplemousse, pelés à vif.

 un saumur blanc

PAIN D'AGNEAU AUX EPINARDS

PAMPLEMOUSSE EN SOUFFLÉ

Préparation : 45 mn
Cuisson : 1 h 40 mn

Pour 6 à 8 personnes

500 g d'échine de porc désossée
200 g de jambon de Bayonne
en tranches épaisses
250 g de pruneaux
un petit chou vert
10 cl de vin blanc sec
un oignon
une gousse d'ail
100 g de mie de pain rassis
un verre de lait
une cuillerée à soupe
d'huile d'arachide
2 jaunes d'œufs
une cuillerée à soupe d'armagnac
3 cuillerées à soupe
de persil haché
sel et poivre moulu

■ Versez les pruneaux avec le vin blanc dans une casserole sur feu moyen. Faites-les pocher, 10 minutes à découvert. Laissez-les refroidir dans le vin blanc.

■ Défaites les feuilles du chou et conservez le cœur. Lavez le tout à grande eau. Faites blanchir ensuite les feuilles de chou pendant 2 à 3 minutes dans une grande casserole d'eau salée. Egouttez-les et rafraîchissez-les aussitôt sous le robinet d'eau froide. Epongez-les sur du papier absorbant en les étalant.

■ Faites chauffer le lait, versez-le dans une assiette creuse contenant la mie de pain. Ecrasez celle-ci avec une fourchette, pressez-la pour ôter l'excédent de lait. Epluchez et hachez l'oignon et l'ail. Faites-les revenir à l'huile dans une petite poêle jusqu'à ce que l'oignon soit translucide.

■ Coupez l'échine de porc en morceaux, passez ceux-ci au hachoir grille moyenne ou au robot coupe. Otez la couenne du jambon de Bayonne et découpez-le en fines languettes ou en petits dés.

■ Dans un grand saladier, mettez successivement le hachis de porc, les languettes de jambon, la mie de pain, l'oignon et l'ail revenus à l'huile puis égouttés, l'armagnac, les jaunes d'œufs, le persil haché, du sel et du poivre. Mélangez bien tous ces éléments pour obtenir une farce homogène.

■ Allumez le four th 6-180º. Beurrez un moule à cake et tapissez le fond et les parois de feuilles de chou blanchies. Garnissez avec la moitié de la farce, posez dessus la moitié des pruneaux pochés au vin blanc et égouttés, recouvrez-les avec le reste de la farce. Repliez les feuilles de chou des parois et posez sur le tout encore deux ou trois feuilles pour bien enfermer la farce. Couvrez ensuite avec une feuille d'aluminium et faites cuire une heure et demie à four moyen.

■ Pour servir, émincez le cœur de chou en fines lanières et faites cuire celles-ci 5 minutes à l'eau bouillante salée. Présentez le pâté en tranches sur des assiettes ou sur un plat de service. Garnissez avec le reste des pruneaux pochés et les lanières de chou. Servez chaud ou froid.

▶ **Un Pinot Noir d'Alsace de l'année et servi frais ●▭ 12º**

Préparation : 1 h 30 mn
Cuisson : 1 h

Pour 4 à 6 personnes

4 petites tomates
2 aubergines
4 gros oignons rouges
4 têtes de gros champignons
2 courgettes
une échalote
2 gousses d'ail
300 g de chair à saucisse
150 g de steak haché
2 œufs
6 cuillerées à soupe
d'huile d'olive
4 cuillerées à soupe
de persil haché
1 cuillerée à soupe de
ciboulette hachée
sel et poivre moulu

■ Retirez un chapeau aux tomates, aux deux-tiers de leur hauteur. Enlevez les graines, creusez-les et réservez la pulpe retirée. Salez-les, retournez-les et laissez-les égoutter.

■ Lavez, essuyez les aubergines. Coupez-les par la moitié dans la longueur et rangez-les dans un plat à four. Arrosez-les avec un filet d'huile d'olive et faites-les cuire 20 minutes au four, th 6-180º. Creusez ensuite chaque moitié d'aubergine avec une cuillère en gardant un peu de pulpe à l'écorce. Réservez cette chair.

■ D'autre part, épluchez et faites blanchir les oignons 10 minutes à l'eau bouillante salée, rafraîchissez-les à l'eau froide. Coupez un chapeau à chaque oignon, creusez-les puis hachez les chapeaux et la partie retirée. Faites blanchir les têtes de champignons 5 minutes à l'eau bouillante salée, laissez-les égoutter à l'envers sur du papier absorbant. Plongez les courgettes entières 5 minutes dans une casserole d'eau bouillante salée, rafraîchissez-les à l'eau froide. Coupez-les ensuite par la moitié dans la longueur, creusez-les et réservez la pulpe.

■ Faites blondir l'échalote émincée et le hachis d'oignon avec 2 cuillerées à soupe d'huile d'olive, dans une sauteuse. Ajoutez ensuite la chair à saucisse en l'écrasant avec une fourchette. Remuez bien pendant 5 minutes puis incorporez l'intérieur des tomates, des aubergines et des courgettes, l'ail écrasé, du sel et du poivre moulu. Remuez, sur feu vif pendant 5 minutes, puis ajoutez, hors du feu, le steak haché, les œufs légèrement battus, le persil et la ciboulette.

■ Remplissez les légumes de cette farce, saupoudrez-les de chapelure et, rangez-les dans la lèchefrite. Arrosez les farcis avec un petit filet d'huile d'olive et faites-les cuire 40 minutes à four moyen, th 6-180º. Servez chaud.

▶ **Un Bellet rouge, qui est rappelons-le, le vin de Nice ●▭ 16º**

PATÉ DE PORC AU CHOU ET AUX PRUNEAUX

PETITS FARCIS NIÇOIS

Préparation: 25 mn
Cuisson: 1 h

pour 4 ou 5 personnes

Une pintade
un petit verre de cognac
un kilo de raisin blanc
à gros grains
une petite barde de lard
un dl et demi de jus de raisin
80 g de beurre
sel et poivre

■ Plumez, flambez et videz la pintade.

■ Pelez les grains de raisin. Si les pépins sont gros, retirez-les.

■ Introduisez à l'intérieur de la volaille 50 g de beurre, une tasse à thé de grains de raisin puis le cognac, salez et poivrez. Cousez ensuite les ouvertures à l'aide de gros fil de cuisine et bridez la volaille sur laquelle vous poserez la barde de lard.

■ Faites fondre le reste de beurre et, à l'aide d'un pinceau, badigeonnez-en la pintade ainsi que l'intérieur d'un plat allant au four. Allumez le four (th. 7 à 8, 235° à 255°).

■ Posez la pintade dans le plat beurré, glissez au four et laissez cuire et dorer pendant une heure, en arrosant tous les quarts d'heure avec un peu de jus de raisin.

■ Vingt minutes avant la fin de la cuisson, ajoutez les autres grains de raisin autour de la pintade et arrosez avec le reste du jus de raisin. Laissez s'achever la cuisson. Servez très chaud dans le plat sortant du four.

 un chinon

Préparation : 1 h
Cuisson : 1 h

Pour 4 ou 5 personnes

une pintade d'un kilo 300
une boîte de fonds d'artichauts
3 carottes
2 navets
une échalote
un peu de céleri branche ou de cresson
100 g de crème fraîche
40 g de beurre ramolli
sel et poivre

pour la farce :
250 g de farce fine de veau
130 g de purée de foie gras
une boîte de truffe de 12 g 5
une pomme reine des reinettes
une cuillerée à soupe de cognac

■ La veille de la cuisson, videz, flambez et parez la pintade. Fendez la peau sous le cou et sur la longueur de celui-ci afin de le dégager. Supprimez le cou. Placez la pintade sur le ventre, avec des ciseaux à volaille, coupez la carcasse au milieu du dos, tout près de la colonne vertébrale. Ouvrez la pintade, assaisonnez l'intérieur puis retournez-la et aplatissez-la en appuyant très fort avec la paume de la main ou en vous aidant d'un petit maillet. Décollez la peau, en glissant la main sous la peau, en partant de la base du cou et en arrêtant un peu avant le croupion. Préparez la farce. Epluchez, évidez puis râpez la pomme comme on râpe les carottes. Mettez-la dans un saladier avec la farce de veau, la purée de foie gras, le cognac, le jus de la boîte de truffe, du sel et du poivre. Malaxez le tout avec une fourchette. Glissez la farce sous la peau de la pintade, répartissez-la le plus régulièrement possible en appuyant sur l'extérieur de la peau. Coupez la moitié de la truffe en rondelles et glissez celles-ci sous la peau de la pintade. Rabattez la peau du cou pour fermer. Placez la pintade dans un plat à four, posez à côté le reste de la truffe, couvrez d'aluminium et mettez le plat au réfrigérateur pendant la nuit.

■ Le lendemain, ôtez la truffe du plat. Beurrez la pintade, salez et poivrez. Ajoutez 3 cuillerées à soupe d'eau au fond du plat, enfournez à four moyen, th. 6 − 180°. Laissez cuire pendant une heure en arrosant souvent la volaille avec le jus rendu. Celui-ci ne doit pas caraméliser, ajoutez au besoin un peu d'eau chaude au fond du plat.

■ Préparez la garniture. Epluchez et lavez les carottes, les navets et l'échalote, coupez-les en tranches de 3 millimètres d'épaisseur environ puis en tout petits dés ainsi que le reste de la truffe. Faites fondre 20 g de beurre dans une casserole, ajoutez les dés de légumes sauf la truffe, une cuillerée à soupe d'eau, du sel, du poivre et laissez cuire 8 minutes. Egouttez les fonds d'artichauts, rincez-les et plongez-les dans une casserole d'eau bouillante salée. Retirez-les après 5 minutes d'ébullition.

■ Enlevez la pintade du plat, réservez-la au chaud. Dégraissez le jus de cuisson. Ajoutez une cuillerée à soupe de ce jus aux légumes ainsi que la crème fraîche. Faites bouillir pendant 10 minutes, ajoutez la truffe puis garnissez-en les fonds d'artichauts bien chauds. Découpez la pintade et reconstituez-la sur le plat de service, entourez-la des artichauts garnis, décorez avec un peu de céleri ou de cresson. Présentez le reste du jus de cuisson en saucière.

■➤ Un vin de bonne tenue et fruité comme par exemple le Fronsac : Château de la Rivière 1979 ●━━▷ 15-16°.

PINTADE AUX RAISINS

PINTADE FARCIE SOUS LA PEAU

Préparation : 15 mn
Cuisson : 50 mn

Pour 4 personnes

une pintade
d'un kilo 200 environ
une gousse de vanille
50 g de beurre
8 figues fraîches
100 g de crème fraîche
une cuillerée à café
de sucre en poudre
sel et poivre
une moitié de citron
aluminium messager

■ Allumez le four th 6-180°. Parez soigneusement la pintade après l'avoir flambée.

■ Fendez la gousse de vanille dans sa longueur. Sortez les graines avec la pointe d'un couteau et appliquez-les sur les flans de la pintade en appuyant bien pour les faire adhérer. Pliez les morceaux de gousse vide, introduisez-les dans la pintade avec du sel et du poivre.

■ Couchez la pintade sur une cuisse dans un plat à four. Coupez 30 g de beurre en petits morceaux sur la pintade, salez et poivrez. Ajoutez une cuillerée à soupe d'eau au fond du plat et enfournez.

■ Après 15 minutes de cuisson, retournez la pintade sur l'autre cuisse puis 15 minutes après mettez la sur le dos pour les 15 dernières minutes en la couvrant alors avec une feuille d'aluminium ménager. Ajoutez au besoin un peu d'eau chaude dans le plat pour empêcher les sucs de se dessécher.

■ D'autre part, essuyez les figues fraîches, incisez-les en croix sur le dessus. Rangez-les dans un autre plat à four et glissez dans chacune d'elles une cuillerée à café de crème fraîche et une pincée de sucre en poudre. Mettez-les au four pendant 5 à 6 minutes.

■ Retirez la pintade lorsqu'elle est cuite en faisant couler le jus qui se trouve à l'intérieur dans le plat. Ajoutez le jus de la moitié de citron et faites bouillir 2 ou 3 minutes sur le feu. Incorporez ensuite le reste de beurre et rectifiez l'assaisonnement.

■ Servez la pintade bien dorée, entourée des figues à la crème. Présentez la sauce à part.

▶ — Un Graves blanc de grande classe, élevé en fut neuf ●═══ 8-10°

Préparation :   **50 min**
Cuisson :   **2 h**

pour 6 personnes

une poitrine de veau de 1,500 kg
80 g de riz, 150 g d'oseille
une échalote, un oignon moyen
2 cuillerées à soupe d'huile
2 jaunes d'œufs
sel et poivre

Pour la garniture :
300 g d'oseille
une grosse laitue
une échalote
une cuillerée à soupe d'huile
20 g de beurre
2 dl de crème fraîche
sel et poivre

■ Préparez la farce. Faites cuire le riz à l'eau bouillante salée pendant vingt minutes. Retirez les tiges des feuilles d'oseille, lavez-les, épongez-les puis coupez-les en chiffonnade. Pelez puis hachez finement l'échalote et l'oignon. Chauffer l'huile dans une poêle, ajoutez le hachis d'échalote et d'oignon, remuez cinq minutes puis ajoutez les feuilles d'oseille. Laissez-les fondre trois minutes puis égouttez-les dans une passoire. Mélangez dans un saladier : le riz et l'oseille bien égouttés et tiédis, du sel et du poivre, et les jaunes d'œufs.

■ Allumez le four th. 7-210°. Ouvrez la poitrine de veau dans son épaisseur pour obtenir un grand rectangle. Salez et poivrez toute la surface. Etalez la farce dessus en laissant une bande libre tout autour de 2 cm de largeur. Repliez et roulez en portefeuille, c'est-à-dire le côté droit vers le centre puis le côté gauche replié sur le tout. Ficelez pour former le rôti. Placez-le dans un plat à four. Ajoutez au fond deux cuillerées à soupe d'eau. Badigeonnez le rôti avec un peu d'huile, salez, poivrez. Faites cuire, à four chaud, pendant une heure et quarante minutes en arrosant souvent avec le jus rendu. Abaissez le thermostat à 6-180°, trente minutes avant la fin de la cuisson.

■ Préparez la garniture. Epluchez et lavez la laitue et l'oseille, Supprimez les grosses côtes des feuilles, coupez-les en chiffonnade. Pelez et hachez l'échalote. Faites fondre celle-ci dans une sauteuse avec l'huile et le beurre puis ajoutez la chiffonnade de laitue et d'oseille. Salez, poivrez. Laissez cuire cinq minutes en remuant. Egouttez ensuite cette préparation dans une passoire et passez-la au mixer. Faites bouillir la crème dans une casserole avec du sel et du poivre. Dès qu'elle épaissit, ajoutez la purée d'oseille et de laitue. Mélangez bien, goûtez et rectifiez l'assaisonnement.

■ Servez la poitrine de veau tranchée et entourée de la purée d'oseille et de laitue. Servez à part le jus de cuisson du rôti après l'avoir dégraissé.

▶ — pour une harmonie classique, choisir un Bourgogne blanc de bonne lignée : Chassagne-Montrachet, Mercurey ●═══ 8-10°.
Pour ceux que le vin blanc chagrine, retenir un bon Graves rouge ●═══ 16°.

PINTADE VANILLÉE AUX FIGUES FRAICHES

POITRINE DE VEAU A L'OSEILLE

Préparation :   30 mn
Cuisson :   1 h

pour 6 personnes

8 poivrons (verts ou rouges)
200 g de riz
2 oignons
300 g de viande
de mouton hachée
2 gousses d'ail
2 cuillerées à soupe
de persil haché
80 g de raisins secs
un dl d'huile
une pincée de safran
sel et poivre

■ Faites gonfler les raisins secs à l'eau tiède.

■ Lavez le riz jusqu'à ce que l'eau soit parfaitement claire puis faites-le cuire 12 minutes dans de l'eau bouillante salée à laquelle vous aurez ajouté le safran. Le riz cuit, égouttez-le avec soin.

■ Faites blondir les oignons finement hachés dans 3 cuillerées à soupe d'huile. Quand ils sont fondants sans être colorés, ajoutez le mouton haché, faites-le également revenir puis mélangez le tout à feu doux avec le riz, les raisins épongés, l'ail et le persil hachés. Assaisonnez.

■ Etêtez les poivrons, retirez-en les graines et farcissez-les avec la préparation au riz. Allumez le four (th. 6). Huilez un plat allant au four, disposez-y les poivrons et arrosez-les avec le reste d'huile. Glissez le plat au four, laissez cuire 35 à 40 minutes. Servez chaud dans le plat de cuisson.

Préparation :   1 h 30 mn
Cuisson :   50 mn

pour 4 personnes

2 poivrons rouges,
2 poivrons verts
aussi droits que possible
200 g d'escalope de veau
200 g de poitrine demi-sel
une tranche de jambon de Paris
épaisse
2 tomates mûres à point
un oignon
une tasse à thé de mie de pain
rassis
15 cl de bouillon de viande
un bouquet de persil
une gousse d'ail
2 jaunes d'œufs
4 cuillerées à soupe d'huile d'olive
chapelure, noix de muscade
sel et poivre

■ Faites griller les poivrons de tous côtés, sous le gril du four ou sur la flamme du gaz. Passez-les ensuite sous le robinet d'eau froide et pelez-les. Découpez-les au sommet en suivant les côtes et ouvrez-les. Retirez les pépins. Les poivrons sont ramollis mais ils reprendront leur forme lorsqu'il seront farcis.

■ Préparez la farce. Plongez les tomates dans de l'eau bouillante, pelez-les et coupez-les en morceaux en éliminant les pépins. Epluchez l'oignon et la gousse d'ail. Lavez et hachez le persil. Trempez la mie de pain dans 10 centilitres de bouillon, exprimez-la. Otez la couenne et les petits os de la poitrine, hachez-la avec les escalopes et le jambon.

■ Chauffez 2 cuillerées à soupe d'huile dans une poêle, jetez-y l'oignon haché et remuez avec une spatule. Lorsqu'il commence à dorer, ajoutez les tomates. Remuez et laissez fondre doucement. Versez ensuite dans la poêle la mie de pain, le hachis de viande et de jambon, puis le persil haché. Salez et poivrez modérément, ajoutez un peu de noix de muscade râpée. Mélangez bien tous les éléments et retirez la poêle du feu. Ajoutez alors les jaunes d'œufs et mélangez à nouveau.

■ Allumez le four th. 7-220°. Remplissez les poivrons avec la farce en leur redonnant leur forme. Rangez-les dans un plat à four, saupoudrez-les de chapelure puis arrosez-les avec un filet d'huile d'olive. Versez le reste de bouillon dans le fond du plat. Faites cuire 35 mn à four chaud.

■ Servez ces poivrons chauds dans le plat de cuisson.

N.B. : vous pouvez préparer les poivrons à l'avance et les cuire au dernier moment.

POIVRONS FARCIS

POIVRONS FARCIS A L'ANCIENNE

Préparation : 15 mn
Cuisson : 50 mn

pour 5 personnes

10 pommes de terre
de forme allongée
2 oignons
80 g de beurre
400 g de chair à saucisse
une gousse d'ail
une cuillerée à soupe
de persil haché
une tasse à thé de mie de pain
humectée de lait
et bien pressée
un œuf
sel et poivre

■ Préparez la farce : épluchez et hachez finement les oignons, faites-les dorer dans 30 g de beurre chaud. Quand ils commencent à prendre couleur, ajoutez la chair à saucisse, émiettez-la à la fourchette en la faisant revenir.

■ Epluchez et hachez l'ail, ajoutez-la à la chair à saucisse ainsi que le persil haché et la mie de pain. Mélangez à feu doux. Retirez du feu et liez cette farce avec l'œuf battu. Assaisonnez.

■ Allumez le four (th. 7).

■ Epluchez les pommes de terre, coupez une tranche fine sur la partie la plus longue puis évidez-les. Garnissez-les ensuite avec la farce.

■ Beurrez un plat allant au four. Disposez-y les pommes de terre, arrosez-les avec le reste du beurre, fondu au préalable. Glissez le plat au four et laissez cuire environ 35 minutes.

■ Servez chaud dans le plat de cuisson.

Préparation : 35 mn
Cuisson : 2 h

pour 6 ou 7 personnes

un kilo 800 de rôti de porc
(dans le filet)
un chou rouge
50 g de saindoux
une cuillerée à soupe de farine
une cuillerée à café de cumin
12 clous de girofle
500 g de pruneaux
1 dl d'eau
vinaigre
sel et poivre

■ Commencez par préparer le chou. Coupez-le par la moitié, ôtez les feuilles abîmées, supprimez la base du trognon qui est dure, et lavez-le à l'eau froide vinaigrée. Egouttez-le bien. Posez ensuite chaque moitié de chou sur une planche et découpez-les en fines lanières.

■ Faites fondre le saindoux dans une cocotte, ajoutez le chou émincé et remuez avec la cuillère en bois. Saupoudrez-le ensuite de farine et de cumin. Salez, poivrez. Remuez à nouveau. Couvrez la cocotte et laissez cuire deux heures, à feu très doux, en intercalant une plaque de cuisson et en remuant de temps en temps pour que le chou n'attache pas.

■ Allumez le four (th. 6-180°). Piquez le dessus du rôti de porc avec les clous de girofle et mettez-le dans un plat à four. Disposez autour les pruneaux secs, ajoutez l'eau. Salez, poivrez et enfournez. Laissez cuire le rôti pendant une heure trente en l'arrosant fréquemment avec la sauce du plat. Vérifiez la cuisson avec une brochette : si le jus qui s'échappe est rosé, prolongez-la de quinze minutes.

■ Pour servir, découpez le rôti et disposez les tranches sur un plat long. Entourez-le avec les pruneaux. Dégraissez le jus de cuisson et versez-le sur les pruneaux. Goûtez et rectifiez au besoin l'assaisonnement du chou rouge et versez-le dans le légumier. Servez le tout très chaud.

▶━ un côtes-de-Buzet

POMMES DE TERRE FARCIES

PORC AU CHOU ET AUX PRUNEAUX

Préparation : 45 mm
Cuisson : 1 h

pour 6 personnes

400 g de pâte brisée
500 g de petits pois frais
une tranche épaise de jambon cru
6 œufs + un jaune
15 cl de bouillon de volaille
150 g de crème fraîche
une cuillerée à café
d'estragon haché
poivre

**Pour la cuisson à blanc
de la pâte :**
une feuille d'aluminium
des pois chiches ou du riz

■ Ecossez les petits pois. Jetez-les dans une casserole d'eau bouillante. Ne salez pas et ne couvrez pas pour qu'ils gardent leur couleur verte. Laissez-les cuire pendant vingt à vingt-cinq minutes selon leur tendreté.

■ Pendant la cuisson des petits pois, abaissez la pâte brisée au rouleau. Beurrez copieusement une tourtière, étalez-y la pâte. Coupez les bords qui dépassent en passant votre rouleau dessus et en appuyant fortement. Piquez le fond avec une fourchette, étalez dessus une feuille d'aluminium et mettez-y des pois chiches ou du riz pour l'empêcher de gonfler. Enfournez et comptez 15 minutes de cuisson à four moyen, thermostat 5-6, 180-200°.

■ Otez la couenne du jambon et coupez-le en petits dés. Battez les œufs en omelette dans un saladier. Incorporez en fouettant le bouillon et la crème fraîche. Ajoutez les dés de jambon, l'estragon haché et du poivre. Ne salez pas à cause du jambon et du bouillon.

■ Sortez la tourtière du four, ôtez la feuille d'aluminium avec les pois chiches ou le riz. Conservez ceux-ci dans une boîte pour une prochaine utilisation. Badigeonnez les bords intérieurs de la pâte avec un pinceau trempé dans le jaune d'œuf battu. Tapissez le fond avec les petits pois et versez dessus, doucement, la préparation aux œufs. Remettez au four pendant 25 minutes. Les œufs doivent être pris et légèrement dorés.

 un bergerac

N.B. : d'avance, vous pouvez préparer et cuire le fond de pâte de la quiche et aussi, écosser les petits pois.

Préparation : 1 h
Trempage : 2 h
Cuisson : 35 mn

pour 2 personnes

une pomme de ris de veau
350 g de pâte feuilletée
2 œufs
80 g de beurre
une cuillerée à soupe d'huile
30 g de farine
25 cl de lait
2 grosses cuillerées à soupe de
crème fraîche
une pointe de muscade
sel et poivre

■ Faites tremper le ris de veau à l'eau froide pendant deux heures. Mettez-le ensuite dans une casserole d'eau froide et salée sur feu doux. Portez à ébullition, puis mettez à feu doux et laissez frémir pendant dix minutes. Egouttez le ris de veau, rafraîchissez-le et parez-le. Coupez-le en petits dés d'un centimètre de côté.

■ Allumez le four th. 7 - 220°. Cassez un œuf, séparez le jaune du blanc. Etalez la pâte feuilletée et découpez six rectangles de dix centimètres sur vingt. Superposez-les par trois en badigeonnant les parties intérieures de blanc d'œuf pour les coller. Dorez le dessus de chacun d'eux avec le jaune d'œuf battu avec un peu d'eau. Posez les feuilletés sur la tôle huilée du four et cuisez-les 20 minutes à four chaud.

■ Préparez une béchamel. Mettez 30 g de beurre dans une casserole, laissez fondre et ajoutez aussitôt la farine en remuant avec la cuillère en bois, puis versez peu à peu le lait froid en continuant de remuer. Assaisonnez avec sel, poivre et muscade. Laissez cuire pendant dix minutes à feu doux.

■ Faites dorer les dés de ris de veau à la poêle, avec le reste de beurre pendant dix minutes sur feu doux en les remuant plusieurs fois. Salez et poivrez. Mélangez le jaune d'œuf du dernier œuf avec la crème, dans un bol. Sur feu très doux, incorporez ce mélange à la béchamel en remuant puis retirez aussitôt du feu. Ajoutez les dés de ris de veau. Mélangez et rectifiez l'assaisonnement.

■ Pour servir, ouvrez les feuilletés aux deux tiers de leur hauteur, posez-les sur deux assiettes et garnissez-les de la préparation au ris de veau.

 **un saint-estèphe**

QUICHE AUX PETITS POIS

RIS DE VEAU EN FEUILLETÉ

Préparation : 20 mn
Cuisson : 40 mn

pour 4 personnes

8 merguez
200 g de riz
2 oignons
100 g de raisins secs
4 bananes
un demi-verre d'huile
une demi-cuillerée à café
de cannelle
une petite dose de safran
un peu de gingembre
une pincée de cayenne
sel

■ Lavez le riz jusqu'à ce que l'eau soit parfaitement limpide. Faites-le cuire dans deux fois son volume d'eau bouillante salée.

■ Mettez les raisins à tremper dans de l'eau tiède. Épluchez puis émincez les oignons. Pelez les bananes, coupez-les en tronçons.

■ Chauffez l'huile dans une sauteuse, jetez-y les oignons. Remuez-les pour qu'ils blondissent puis ajoutez les tronçons de bananes. Lorsque ceux-ci sont également bien dorés, retirez-les ainsi que les oignons et réservez-les au chaud.

■ Égouttez le riz dès qu'il est à point, épongez-le soigneusement pour en absorber l'humidité. Jetez-le ensuite dans l'huile de cuisson des oignons et des bananes. Remuez puis incorporez les raisins bien égouttés, la cannelle, le safran, le gingembre et le cayenne. Salez et mélangez le tout quelques instants sur feu vif.

■ Versez ensuite cette préparation dans un plat allant au four, disposez dessus les tronçons de bananes puis les merguez préalablement piquées à la fourchette pour qu'elles n'éclatent pas à la cuisson. Glissez le plat sous le gril du four.

■ Servez très chaud dans le plat de cuisson lorsque les merguez sont cuites.

 un rosé d'Afrique du Nord

Préparation : 50 mn
Cuisson : 1 h 30 mn

pour 6 personnes

Un kilo 500 de rognonnade
de veau (longe de veau
avec le rognon)
3 carottes
2 oignons
2 branches de céleri
un petit bouquet garni
50 g de beurre
2 verres de vin blanc sec
sel et poivre

Pour la garniture :
350 g de petits pois surgelés
50 g de beurre
6 fonds d'artichauts
(de conserve)
une grande boîte de purée
de marrons
4 cuillerées à soupe de crème
sel et poivre

■ Allumez le four (th. 7 - 220°). Beurrez largement un plat allant au four. Tapissez-en le fond avec les carottes, les oignons et le céleri émincés et le bouquet garni. Mouillez avec un verre de vin blanc et un demi-verre d'eau chaude. Assaisonnez le morceau de veau, enduisez-le avec le reste de beurre, placez-le dans le plat, enfournez. Arrosez souvent le rôti avec le jus de cuisson, qui doit peu à peu réduire et brunir.

■ Faites cuire les petits pois 15 minutes à l'eau bouillante salée, égouttez-les et faites-les étuver doucement dans 25 g de beurre. Faites également revenir les fonds d'artichauts dans le reste de beurre chaud.

■ Délayez la purée de marrons avec la crème dans une casserole et faites cuire à feu doux en remuant à la cuillère de bois. Rectifiez l'assaisonnement.

■ Lorsque le veau est cuit, dressez-le sur le plat de service préalablement chauffé. Entourez-le avec les fonds d'artichauts garnis de petits pois, séparez-les par de la purée de marrons, dressée à la poche à douille.

■ Retirez le bouquet garni de la sauce de veau, déglacez le plat avec le reste de vin blanc et un peu d'eau chaude. Rectifiez l'assaisonnement, donnez quelques bouillons, passez au chinois et nappez-en le plat. Servez très chaud.

 un médoc ou un beaujolais

RIZ AUX MERGUEZ

ROGNONNADE DE VEAU

Préparation : 1 h 30 min
Cuisson : 2 h

pour 10 personnes

une longe de veau avec ses
rognons pesant 2,800 kg à 3 kg
150 g de beurre ramolli
1,500 kg de petits pois
une botte de carottes nouvelles
une botte de navets nouveaux
une botte de petits oignons
blancs
une laitue
sel et poivre
aluminium ménager

■ Demandez au boucher de désosser la longe, de dégraisser les rognons, de les mettre à l'intérieur et de ficeler le rôti. Réservez l'os.

■ Allumez le thermostat 7 - 210º. Placez la longe de veau dans un grand plat à four ou à défaut dans la lèchefrite. Badigeonnez-la avec 30 g de beurre. Salez et poivrez. Glissez l'os de la longe dans le plat, ajoutez un peu d'eau froide. Recouvrez la longe avec une feuille d'aluminium et enfournez. Faites-la cuire ainsi pendant 1 h 30 minutes, puis ôtez la feuille d'aluminium et poursuivez la cuisson encore 30 minutes pour faire dorer le rôti. En cours de cuisson, ajoutez, de temps en temps, un peu d'eau chaude dans le plat pour empêcher le jus de caraméliser.

■ D'autre part, écossez les petits pois. Épluchez les carottes, les navets et les oignons blancs. Coupez le trognon et ôtez les mauvaises feuilles de la laitue, fendez-la par la moitié, lavez-la puis égouttez-la.

■ Faites juste fondre le reste de beurre dans une cocotte, il ne doit pas blondir. Ajoutez les petits pois, les carottes, les navets et les oignons blancs. Mélangez tous ces légumes avec l'écumoire pour bien les imprégner de beurre. Posez dessus les moitiés de laitue. Salez, poivrez. Placez une feuille d'aluminium sur la cocotte, posez le couvercle et faites cuire ainsi à l'étouffée pendant 25 à 30 minutes, selon la tendreté des légumes, sur feu doux.

■ Pour servir, coupez la longe de veau en tranches fines et présentez-la sur un plat de service chaud. Garnissez avec un peu de jardinière et présentez le reste dans un légumier. Dégraissez le jus de cuisson et versez-le dans une saucière. Servez aussitôt.

❱ Ce plat, riche en saveur sera bien accompagné par un Bourgogne rouge de classe, par exemple : Beaune « Clos du Roi » ou Volnay ●▭ 16º.

Préparation : 30 mn
Cuisson : 2 h 15 mn

pour 4 personnes

4 rognons de veau
un peu de graisse de rognon
2 oignons
2 carottes
4 échalotes
un bouquet garni
une cuillerée à soupe de farine
une bouteille et demie
de bordeaux rouge
une noisette de moutarde
2 cuillerées à soupe de crème
persil haché
sel et poivre

■ Parez les rognons, laissez-les entiers. Épluchez puis émincez finement les carottes, les oignons et les échalotes. Allumez le four (th. 7-8, 220-250º).

■ Garnissez le fond d'une sauteuse d'un peu de graisse de rognon puis du hachis de carottes, d'oignons et d'échalotes. Placez les rognons sur ces éléments en glissant le bouquet garni au milieu. Parsemez-les de quelques lamelles de graisse de rognon, salez, poivrez, glissez au four et laissez cuire 25 minutes à four chaud.

■ Au bout de ce temps, égouttez les rognons, escalopez-les et réservez-les au chaud. Retirez l'excédent de graisse pour n'en réserver que 2 cuillerées à soupe avec le hachis de légumes. Portez la sauteuse sur feu moyen pour les faire rissoler, saupoudrez-les avec la farine. Remuez bien jusqu'à obtention d'un roux brun puis mouillez avec le vin rouge. Glissez les escalopes de rognons dans cette sauce, couvrez et laissez cuire une heure et demie, à très petits frémissements. Retirez de nouveau les rognons, réservez-les au chaud.

■ Passez la sauce au chinois en pressant bien les éléments et portez-la à nouveau sur feu doux. Délayez la moutarde avec la crème, versez ce mélange dans la sauce en battant au fouet. Laissez frémir 20 minutes en fouettant de temps en temps. Rectifiez l'assaisonnement. Remettez ensuite les rognons dans cette sauce pour les réchauffer.

■ Versez la préparation dans un plat bien chaud, saupoudrez-la de persil haché et servez.

❱ un saint-Estèphe

ROGNONNADE DE VEAU EN JARDINIERE

ROGNONS DE VEAU BORDELAISE

Préparation: 30 mn
Cuisson: 1 h

pour 6 personnes

Un kilo de noix de veau
200 g de gruyère
125 g de bacon
en tranches fines
3 cuillerées à soupe
de moutarde au champagne
une crépine de porc
3 oignons
2 branches de thym
15 cl de porto
sel et poivre

■ Découpez la noix de veau en tranches épaisses. Tartinez celles-ci de moutarde. Détaillez le gruyère en tranches fines. Lavez la crépine à l'eau fraîche, épongez-la. Epluchez les oignons.

■ Prenez une grande brochette puis enfilez une tranche de noix de veau, une tranche de gruyère et une tranche de bacon. Reprenez ensuite dans le même ordre jusqu'à épuisement des éléments. Saupoudrez le tout de thym émietté, de sel et de poivre.

■ Allumez le four (th. 6-200°).

■ Enveloppez le rôti ainsi confectionné dans la crépine. Placez-le dans un plat allant au four, en retirant en même temps la brochette. Garnissez autour avec les oignons coupés en morceaux, arrosez le rôti avec 2 cuillerées à soupe de porto puis enfournez.

■ Arrosez fréquemment le rôti pendant la cuisson, avec un peu de porto et son jus de cuisson.

■ Pour servir, glissez le rôti sur un plat de service chaud. Ajoutez le reste de porto au jus de cuisson, en déglaçant le plat. Laissez chauffer un instant, rectifiez l'assaisonnement puis servez en saucière avec la viande.

 un bordeaux rouge

Préparation : 20 mn
Cuisson : 50 mn

pour 6 personnes

500 g de collet de porc désossé
500 g de collet de veau désossé
une crépine
3 oignons
2 gousses d'ail
3 côtes de céleri
2 cuillerées à soupe d'huile d'olive
15 cl de vin blanc
une poignée de mie de pain écrasée
40 g de beurre
2 œufs
muscade, thym
sel et poivre

■ Hachez ensemble le porc et le veau. Épluchez les oignons et les gousses d'ail, hachez-les aussi, ainsi que le céleri.

■ Chauffez l'huile dans une cocotte, jetez-y le hachis d'oignons, d'ail et de céleri. Faites-les bien revenir puis mouillez avec 10 cl de vin blanc. Ajoutez la mie de pain et le beurre. Remuez le tout. Incorporez ensuite les viandes hachées. Salez, poivrez au moulin et parfumez d'un peu de muscade râpée et de thym effeuillé. Ajoutez les œufs entiers et mélangez bien tous les éléments.

■ Lorsque l'ensemble est homogène, formez un gros boudin, roulez-le dans la crépine et placez-le dans un plat à four.

■ Faites cuire la roulade à four doux (th. 3 – 150°) pendant 30 minutes, puis à four plus chaud (th. 5 – 180°) pendant 20 minutes, en l'arrosant de temps à autre avec un peu de vin blanc.

■ Servez ce plat avec des pommes paille ou des salsifis bien chauds.

 un gevrey-chambertin

ROTI DE VEAU FANTAISIE

ROULADE DE PORC ET DE VEAU

Préparation : 50 mn
Cuisson : 1 h

pour 6 personnes

6 fines tranches de 125 g
taillées sur la longueur
d'un filet mignon de porc
un kilo de pommes de terre
farineuses
un bol de lait chaud
125 g de beurre
2 gousses d'ail
3 échalotes
un bouquet de persil
une cuillerée à café
de poivre concassé

■ Epluchez les pommes de terre et faites-les cuire à la vapeur. Réduisez-les alors en purée que vous délayerez avec juste ce qu'il faut de lait chaud pour obtenir une purée onctueuse et cependant épaisse. Etalez-la dans un plat beurré allant au four et tenez au chaud.

■ Epluchez et hachez finement les échalotes, l'ail et le persil.

■ Coupez le beurre en petits morceaux, travaillez-le à la spatule en lui incorporant le poivre, l'ail, les échalotes et le persil haché. (Vous pouvez également passer le tout au mixer.)

■ Etalez les tranches de porc, aplatissez-les au rouleau à pâtisserie, tartinez-les sur une face d'une épaisse couche de ce beurre composé.

■ Roulez-les en escargot, de façon que le beurre soit à l'intérieur. Maintenez-les ainsi avec un fil ou en les piquant transversalement avec une brochette de bois. Posez-les debout sur la purée. Glissez à four chaud (th. 7 à 8 - 235° à 255°) et laissez cuire 20 à 25 minutes environ. Servez chaud dans le plat de cuisson.

un gamay

Préparation : 40 min
Cuisson : 1 h 50 min

pour 4 personnes

une canette ou un canard de 2 kg
2 bottes de navets nouveaux
4 carottes nouvelles
un oignon, 2 échalotes
50 g de beurre
10 cl de vermouth
15 cl de vin blanc sec
25 cl d'eau chaude
persil
noix de muscade
sel et poivre
un bouquet garni composé avec :
un morceau de branche de céleri
une feuille de poireau
une petite feuille de laurier
5 ou 6 queues de persil
un brin de thym

■ Parez le canard, mettez le gésier et le foie à l'intérieur avec du sel et du poivre. Posez le canard sur la grille du four au-dessus de la lèchefrite. Allumez le four th. 8 - 240°. Après 25 minutes, abaissez-le à 7 - 210°. Le canard évacue ainsi le maximum de graisse. Laissez dorer encore 15 minutes puis retirez-le. Découpez-le : détachez les ailes et les cuisses puis décollez les filets de la carcasse. Réservez-les avec le gésier. Coupez la carcasse et le cou en morceaux. Recueillez le jus qui s'échappe.

■ Epluchez et lavez les navets et les carottes. Gardez les navets entiers, coupez une carotte en petits dés pour la sauce et les autres en quatre. Epluchez puis émincez l'oignon et les échalotes en lamelles. Faites fondre 20 g de beurre dans une cocotte sur feu moyen, ajoutez l'oignon, les échalotes et la carotte émincés ainsi que le bouquet garni. Laissez dorer ces éléments 5 minutes en les remuant avec la cuillère en bois. Mettez ensuite les morceaux de carcasse, de cou et le foie du canard dans la cocotte. Remuez pendant 3 à 4 minutes puis déglacez avec le vin blanc en grattant le fond de la cocotte avec la cuillière pour bien décoller les sucs. Salez, poivrez. Ajoutez un peu de muscade râpée, le jus de canard recueilli et l'eau chaude. Couvrez et laissez cuire 30 minutes à petits bouillons. Passez ensuite cette préparation au chinois en pressant sur les éléments. Dégraissez cette sauce, rectifiez son assaisonnement, ajoutez-y le vermouth.

■ Allumez le four th. 7 - 210°. Mettez les cuisses, les ailes et le gésier du canard dans un plat à four creux. Assaisonnez-les, versez la sauce au vermouth et enfournez. Au bout de 15 minutes, ajoutez les filets de canard côté peau sur le dessus. Poursuivez la cuisson pendant 15 minutes. D'autre part, mettez les navets et les carottes dans une sauteuse. Recouvrez-les d'eau froide juste à niveau. Ajoutez le reste de beurre et du sel fin. Faites cuire à petits bouillons jusqu'à ce que les légumes soient tendres. Pour servir, disposez les morceaux de canard sur un plat avec les carottes et les navets. Faites réduire au besoin la sauce et nappez-en le plat, décorez avec le persil.

Associez ce plat printanier à des vins rouges de Bourgogne jeunes et friands, aux arômes de type fruits rouges : un Mercurey « Clos des Barraults » 1978 - 1980 ●——— 16°.

ROULADES DE PORC

SALMIS DE CANARD AUX NAVETS NOUVEAUX

Préparation : 10 mn
Cuisson : 12 mn

pour 6 personnes

6 cuillerées à soupe
de vinaigre de vin blanc
4 branches d'estragon
3 échalotes
une demi-cuillerée à café
de poivre concassé
125 g de beurre
2 jaunes d'œufs
2 tiges de cerfeuil
un filet de jus de citron
sel fin

■ Lavez et essuyez l'estragon. Épluchez et hachez finement les échalotes.

■ Mettez dans une petite casserole la moitié de l'estragon, les échalotes, le poivre et le vinaigre. Faites réduire à petit feu jusqu'à ce qu'il ne reste plus qu'une cuillerée à soupe de vinaigre. Coupez le beurre en petits morceaux.

■ Délayez les jaunes d'œufs avec une cuillerée à soupe d'eau froide. Retirez l'estragon de la casserole.

■ Versez les œufs dans la réduction de vinaigre, mettez à feu très doux sans cesser de battre au fouet. Quand la préparation commence à devenir crémeuse, incorporez peu à peu le beurre en continuant de battre au fouet. En fin de préparation, la sauce doit avoir la consistance d'une mayonnaise.

■ Hachez finement le reste d'estragon et le cerfeuil. Ajoutez ces herbes à la sauce ainsi que quelques gouttes de jus de citron et un peu de sel.

■ Servez immédiatement en saucière.

Utilisations : poissons grillés, viandes grillées ou rôties.

Préparation : 10 mn
Cuisson : 35 à 40 mn

pour 6 personnes

150 g de champignons
50 g de beurre
3 échalotes
une grosse cuillerée à soupe de
farine (30 g environ)
un verre de vin blanc sec
(1 dl environ)
4 dl de bouillon de volaille
(ou de pot-au-feu dégraissé)
un petit bouquet garni
une cuillerée à soupe
de concentré de tomates
persil haché
sel et poivre

■ Nettoyez les champignons en coupant la partie sableuse du pied. Lavez-les rapidement, épongez-les, émincez-les. Faites-les revenir dans le beurre chaud et laissez-les légèrement blondir.

■ Épluchez et hachez finement les échalotes.

■ Les champignons étant à point, retirez-les et dans le même beurre, faites revenir aussi les échalotes. Laissez-les dorer doucement puis saupoudrez-les avec la farine. Mélangez à la cuillère de bois jusqu'à ce que la farine blondisse. Mouillez alors ce roux avec le vin blanc et le bouillon, ajoutez le bouquet garni et le concentré de tomates. Laissez cuire 20 à 25 minutes en remuant toujours à la cuillère de bois, à feu aussi doux que possible. La sauce doit à peine frémir pendant toute la durée de la cuisson.

■ Passez cette sauce au chinois, remettez à feu doux. Ajoutez les champignons, continuez la cuisson 2 à 3 minutes. Saupoudrez de persil haché et rectifiez l'assaisonnement.

Utilisations : la sauce chasseur accompagne les viandes rouges et les volailles. Elle est recommandée pour accommoder les restes de celles-ci.

SAUCE BEARNAISE

LA SAUCE CHASSEUR

Préparation : 20 mn
Cuisson : 30 mn

pour 6 personnes

60 g de beurre
une carotte
2 oignons moyens
une branchette de céleri
une branche de thym
quelques tiges de persil
une petite feuille de laurier
75 g de lard de poitrine
assez maigre
40 g de farine
2 dl de bouillon
un verre de vin blanc sec
2 verres de madère
sel et poivre

■ Epluchez la carotte et coupez-la en très petits dés. Epluchez et hachez très finement les oignons ainsi que le céleri. Préparez le bouquet garni en liant ensemble le persil, le thym et le laurier. Coupez également le lard en très petits dés.

■ Faites blondir le beurre dans lequel vous ferez revenir les dés de carotte, les oignons, le lard, le céleri et le bouquet garni en remuant à la spatule en bois. Ces éléments bien rissolés, saupoudrez-les avec la farine et laissez roussir.

■ Délayez ce roux brun avec le bouillon, ajoutez-y le vin blanc et la moitié du madère, assaisonnez. Laissez cuire 20 minutes à petit feu.

■ Passez cette sauce au chinois. Remettez à petit feu, ajoutez le reste de madère et continuez la cuisson 3 à 4 minutes, sans que la sauce ne bouille. Versez dans la saucière préalablement chauffée et servez très chaud.

Utilisations : principalement pour les abats (rognons, langues), les légumes (épinards et laitues braisés), les jambons cuits et les viandes (bœuf et veau).

Préparation : 30 mn
Cuisson : 35 mn

Pour 4 ou 5 personnes

un saucisson à cuire, à la pistache
un saucisson de Morteau
8 pommes de terre BF 15
ou Roseval
5 cl de vin blanc sec
une salade verte
Pour la sauce :
2 cuillerées à soupe
de vinaigre de vin
6 cuillerées à soupe
d'huile d'arachide
3 petites échalotes
une cuillerée à soupe
de persil haché
sel et poivre

■ Placez les saucissons dans une marmite d'eau froide sur feu moyen. Au point d'ébullition, baissez le feu, couvrez et laissez frémir pendant 30 minutes. L'eau ne doit pas bouillir car les saucissons éclateraient et perdraient leur saveur. Vérifiez la cuisson avec une fourchette car elle peut être plus longue, selon la grosseur des saucissons.

■ Dans le même temps, lavez les pommes de terre et cuisez-les en robe des champs, à l'eau salée. Lorsqu'elles sont cuites, pelez-les, coupez-les en rondelles épaisses et rangez-les dans un plat allant au four. On peut cuire également les pommes de terre à la vapeur après les avoir pelées. Versez le vin blanc dans une petite casserole, portez-le à ébullition. Arrosez ensuite les pommes de terre de ce vin bouillant.

■ Egouttez les saucissons, coupez-les également en rondelles et disposez-les autour des pommes de terre. Réservez le plat au four, th 3-150°, pendant 10 mn.

■ Epluchez, lavez, essorez la salade. Préparez la vinaigrette avec du sel, du poivre, le vinaigre et l'huile. Assaisonnez la salade avec une partie de cette vinaigrette. Epluchez et hachez finement les échalotes, ajoutez-les avec le persil dans le reste de sauce.

■ Sortez le plat du four. Arrosez les pommes de terre avec la vinaigrette aux échalotes. Servez aussitôt en présentant, à part, la salade verte.

▶━ un côte du Rhône blanc

N.B. - *Après un bon potage, ce plat peut constituer le repas familial du soir.*

LA SAUCE MADERE

SAUCISSONS CHAUDS LYONNAISE

Préparation: 30 mn
Cuisson: 1 h

pour 5 ou 6 personnes

Un saucisson de Morteau
de 450 g
éventuellement truffé
ou garni de pistaches
un litre d'eau
3 oeufs
2 pincées de sel fin
un sachet de levure
20 cl de crème fraîche
250 g de farine
20 g de beurre
quelques feuilles de salade

■ Piquez le saucisson avec une fourchette et placez-le dans une cocotte. Recouvrez-le d'eau froide. A partir de l'ébullition, comptez 20 mn de cuisson puis retirez-le et laissez-le refroidir.

■ Cassez les oeufs dans une terrine, salez-les et battez-les en omelette. Incorporez ensuite, en continuant de battre à la fourchette, la levure, la crème fraîche et petit à petit la farine. On obtient une pâte lisse.

■ Beurrez copieusement un moule à cake. Versez-y la pâte. Otez la peau du saucisson, posez-le sur la pâte en appuyant un peu pour qu'il s'y enfonce. Laissez reposer 20 mn.

■ Allumez le four, th 6-200°, dix minutes avant le début de la cuisson. Enfournez le moule et laissez cuire pendant 40 mn.

■ Pour servir, démoulez le saucisson en brioche sur le plat de service. Découpez-le et garnissez avec de la salade verte.

 un juliénas

Préparation : 1 h
Cuisson : 1 h 30

pour 10 à 12 personnes

une selle d'agneau désossée de
3 kilos
2 rognons d'agneau
200 g de champignons de Paris
une tartine de pain de campagne
rassis
un œuf
une cuillerée à soupe de cognac
2 brins de thym
un bouquet de persil
2 cuillerées à soupe d'huile
50 g de beurre, sel et poivre

Pour la garniture :
10 petits artichauts poivrades
une cuillerée à soupe de jus de citron
une botte de carottes nouvelles
un kilo de petites pommes de terre
nouvelles
2 cuillerées à soupe d'huile
60 g de beurre

■ Préparez la farce : parez les rognons, coupez-les en petits dés. Coupez la partie sableuse du pied des champignons, lavez-les, épongez-les. Hachez-les au couteau le plus finement possible. Faites fondre 20 g de beurre dans une poêle avec une cuillerée à soupe d'huile ; lorsque le mélange est bien chaud, ajoutez les dés de rognons. Remuez-les pendant 2 minutes puis ajoutez le hachis de champignons. Salez, poivrez. Mélangez pendant 3 minutes puis versez le tout dans une terrine. Laissez un peu refroidir. Otez la croûte du pain, émiettez-le dans la farce. Ajoutez ensuite l'œuf entier, le cognac, un brin de thym effeuillé et une cuillerée à soupe de persil haché.

■ Etalez la selle sur le plan de travail. Assaisonnez-la. Disposez la farce dans le milieu, repliez les côtés et ficelez comme un rôti. Placez la selle dans un plat à four, assaisonnez-la et badigeonnez-la avec un peu d'huile et 30 g de beurre. Effeuillez dessus un brin de thym. Salez, poivrez. Faites cuire, à four chaud, th. 7 - 210° pendant une heure 30 minutes. En cours de cuisson, arrosez la viande avec le jus de cuisson en y ajoutant quelques cuillerées d'eau chaude.

■ Parez les artichauts et coupez l'extrémité des feuilles. Partagez-les en deux ou en quatre selon leur grosseur. Otez le foin de chaque quartier. Jetez-les dans une casserole d'eau bouillante salée et additionnée de jus de citron, laissez-les cuire 5 minutes à la reprise de l'ébullition et à découvert puis égouttez-les et réservez-les au chaud. Grattez et lavez les carottes et les pommes de terre nouvelles. Mettez les carottes dans une casserole, ajoutez de l'eau presque à niveau, 30 g de beurre et une pincée de sel, laissez-les cuire à découvert jusqu'à évaporation de l'eau. Faites chauffer 2 cuillerées à soupe d'huile avec 30 g de beurre dans une poêle, ajoutez les pommes de terre. Laissez-les cuire en les remuant de temps en temps jusqu'à ce qu'elles soient tendres et bien dorées. Salez-les.

■ Placez la selle d'agneau sur un plat de service chaud. Entourez-la des petits légumes. Dégraissez le jus de cuisson et versez-le dans une saucière chaude.

 un Pauillac à maturité, séveux et distingué ●━━━ 18°

SAUCISSON EN BRIOCHE

SELLE D'AGNEAU AUX ARTICHAUTS POIVRADES

Préparation : 30 mn
Cuisson : 35 mn

Pour 4 personnes

une selle d'agneau non désossée
d'un kilo 300 environ
2 brins de thym
une tête d'ail entière
30 g de beurre
un peu de cresson
sel et poivre

pour les paillassons :
8 belles pommes de terre
BF 15 ou roseval
40 g de beurre
2 cuillerées à soupe d'huile

■ Demandez au boucher de désosser la selle et de vous remettre l'os ou de le sectionner intérieurement pour faciliter le découpage au moment du service.

■ Allumez le four th. 7 — 210°.

■ Salez et poivrez l'intérieur de la selle d'agneau. Glissez-y un brin de thym et ficelez-la comme un rôti. Placez-la dans un plat à four, posez éventuellement l'os à côté. Disposez tout autour les gousses d'ail non épluchées. Ajoutez 2 cuillerées à soupe d'eau froide. Coupez le beurre en petits morceaux sur la viande. Enfournez et laissez cuire 35 minutes en arrosant souvent la selle avec son jus. Ne laissez pas celui-ci caraméliser, ajoutez au besoin une cuillerée à soupe d'eau chaude, de temps en temps. A mi-cuisson, salez et poivrez la selle et posez dessus le deuxième brin de thym.

■ Pendant ce temps, préparez les paillassons. Epluchez, lavez puis essuyez les pommes de terre. Râpez-les avec la grille à gros trous comme le céleri. Epongez-les dans un torchon propre.

■ Faites chauffer la moitié du beurre et de l'huile dans une poêle anti-adhésive. Posez des petits tas de pommes de terre râpées dans ce mélange chaud mais non brûlant. Aplatissez-les avec le dos d'une fourchette et laissez-les cuire 5 minutes à feu doux, retournez-les, assaisonnez-les et poursuivez la cuisson encore 5 minutes. Retirez les paillassons bien dorés, égouttez-les sur du papier absorbant, assaisonnez l'autre face et jetez la matière grasse de la poêle. Renouvelez l'opération pour faire cuire le reste des pommes de terre.

■ Pour servir, placez la selle sur le plat de service chaud, entourez-la des gousses d'ail et des paillassons de pommes de terre. Décorez avec des bouquets de cresson. Dégraissez le jus de cuisson, ajoutez une ou deux cuillerées à soupe d'eau chaude dans le plat, sur feu moyen. Décollez les sucs de la viande avec une spatule puis à l'ébullition passez le tout au chinois. Présentez ce jus dans une saucière chaude après avoir rectifié son assaisonnement.

Pour augmenter la distinction de ce plat, choisissez un très beau Médoc, comme par exemple un Saint-Julien : Château-Léoville-Las Cases ou un Pauillac : Château-Lynch-Bages 18°.

Préparation: **20 mn**
Cuisson: **30 mn**

pour 4 personnes

80 g de beurre
60 g de farine
4 dl de lait
4 œufs
50 g de gruyère râpé
sel et poivre
Pour beurrer le moule:
15 g de beurre

■ Préparez une béchamel épaisse. Mettez 80 g de beurre dans une casserole à fond épais sur feu doux. Dès qu'il est fondu, ajoutez la farine en remuant avec la cuillère en bois. Versez le lait froid en une seule fois. Remuez jusqu'à épaississement, salez, poivrez et retirez la casserole du feu.

■ Incorporez, un à un, les jaunes d'œufs à la béchamel puis le gruyère râpé.

■ Allumez le four, th 7 - 220°. Beurrez copieusement un moule à soufflé de 19 cm de diamètre.

■ Battez les blancs d'œufs en neige ferme. Mélangez-en d'abord la moitié à la préparation à la béchamel en soulevant le mélange avec une fourchette. Procédez de même avec l'autre moitié. Versez le tout dans le moule beurré et enfournez. Comptez 30 mn de cuisson sans ouvrir la porte du four.

■ Servez le soufflé bien doré et bien gonflé dès la sortie du four car il ne peut attendre.

un beaujolais

SELLE D'AGNEAU RÔTIE À L'AIL EN CHEMISE

SOUFFLÉ AU FROMAGE

Préparation: 35 mn
Cuisson: 40 mn

pour 6 personnes

Un kilo de courgettes
110 g de beurre
30 g de farine
20 cl de lait
3 oeufs
un bol de coulis de tomates
une poignée de gros sel
poivre

■ Lavez les courgettes puis râpez-les avec la grosse grille de la moulinette sans enlever la peau. Mettez-les dans un saladier avec une poignée de gros sel. Laissez-les dégorger 30 mn. Ensuite pressez-les à la main pour bien les égoutter. Vous pouvez éventuellement réserver le liquide pour faire une soupe de légumes.

■ Une fois bien égoutté, faites sauter le hachis de courgettes dans une poêle avec 60 g de beurre en remuant plusieurs fois pendant 7 à 8 mn.

■ Préparez une béchamel épaisse. Faites fondre 30 g de beurre, ajoutez la farine, remuez bien puis ajoutez peu à peu le lait. Laissez cuire et épaissir en remuant constamment. Poivrez, ne salez pas. Hors du feu, ajoutez les jaunes d'oeufs. Remuez bien puis incorporez les courgettes. Remuez à nouveau pour obtenir un mélange homogène.

■ Battez les blancs d'oeufs en neige puis incorporez-les délicatement à la préparation précédente. Beurrez copieusement un moule en couronne et versez-y la préparation en tassant bien. Faites cuire au four th 5-180°, dans un bain-marie, pendant 40 mn.

■ Démoulez le soufflé dans un plat creux et garnissez l'intérieur de la couronne avec le coulis de tomates.

■ Cette recette est excellente aussi bien chaude que froide.

Préparation : 1 h
Macération : 2 h
Cuisson : 1 h 50

pour 4 personnes

un kilo 500 de travers de porc
2 bottes de navets nouveaux
5 cuillerées à soupe de miel liquide
1 dl d'eau, persil

Pour le bouillon :
un litre et demi d'eau
10 cl de vin blanc sec
une carotte, un oignon
un brin de thym, sel et poivre

Pour la sauce :
un oignon, une gousse d'ail
5 cl d'huile, 5 cl de vinaigre
5 cl de miel liquide
une cuillerée à soupe de Worcestershire sauce
une cuillerée à café rase de sel
une petite boîte de concentré de tomate
une petite boîte de sauce à la tomate fraîche
poivre

■ Préparez un bouillon dans un faitout avec l'eau, le vin blanc, la carotte et l'oignon émincés, le thym, du sel et du poivre. Couvrez le faitout et laissez cuire 30 minutes ce bouillon.

■ Coupez le travers de porc en morceaux. Plongez ceux-ci dans le bouillon après les 30 minutes de cuisson et laissez-les pocher 30 minutes.

■ Pendant ce temps préparez la sauce. Epluchez puis hachez finement l'ail et l'oignon. Mettez-les dans une terrine, ajoutez tous les autres ingrédients. Mélangez bien le tout.

■ Egouttez les morceaux de viande, épongez-les et glissez-les dans la sauce. Laissez-les ainsi macérer pendant 2 heures.

■ Epluchez les navets. Conservez entiers les petits, coupez les plus gros en deux ou en quatre. Faites-les blanchir à l'eau bouillante salée pendant 5 minutes. Egouttez-les.

■ Allumez le gril du four. Disposez les morceaux de travers sur la grille au-dessus de la lèchefrite. Badigeonnez-les bien de sauce. Placez le tout à mi-hauteur dans le four et surtout pas trop près du gril. Retournez plusieurs fois les morceaux de viande en les badigeonnant chaque fois avec la sauce. Il faut compter 30 à 40 minutes de cuisson pour que la viande soit tendre et caramélisée.

■ Pendant ce temps, achevez de cuire les navets. Délayez le miel avec un décilitre d'eau. Portez à ébullition, glissez-y les navets. Laissez-les cuire et confire, à découvert, en les retournant pour qu'ils dorent de tous côtés.

■ Disposez les spareribs bien chauds dans un plat de service, ajoutez les navets confits au miel. Parsemez ceux-ci d'un peu de persil et servez.

▶ un Anjou rouge, le meilleur : « Saumur-Champigny » avec l'impératif de le servir jeune et frais ●— 12-13°

SOUFFLÉ AUX COURGETTES

SPARERIBS AUX NAVETS CONFITS AU MIEL

Préparation :   30 mn
Cuisson :   1 h

pour 8 à 10 personnes

2 oignons
4 échalotes
2 blancs de poireaux
une gousse d'ail
la partie verte
de 3 feuilles de bettes
200 g d'oseille
40 g de beurre
200 g de lard fumé
14 œufs
un demi-litre de lait
100 g de crème
2 petites branches d'estragon
2 feuilles de sauge fraîche
sel et poivre

Pour la sauce :
3 cuillerées à soupe de vinaigre
une cuillerée à café de moutarde
un dl d'huile d'olive
fines herbes hachées :
persil, cerfeuil, ciboulette

■ Épluchez et hachez les oignons, les échalotes, les blancs de poireaux, l'ail. Lavez les feuilles de bettes et d'oseille, épongez-les avec soin, hachez-les grossièrement.

■ Faites revenir au beurre et à feu doux, les oignons, les échalotes, les poireaux et l'ail. Ils doivent blondir sans rissoler. Ajoutez ensuite les feuilles de bettes et d'oseille. Asséchez la préparation sur le feu, en remuant à la cuillère de bois.

■ Coupez le lard en petits lardons. Faites-les revenir sans y ajouter de matière grasse, ils doivent rissoler dans leur graisse.

■ Allumez le four (th. 5 - 180º).

■ Cassez les œufs, battez-les en omelette, incorporez-leur le lait, la crème, les lardons et leur graisse, la préparation aux herbes bien asséchée, l'estragon et la sauge hachés. Assaisonnez, mélangez bien. Versez dans une cocotte en verre à feu, glissez au four et laissez cuire 40 minutes à feu doux, sans laisser bouillir.

■ Retirez du four, laissez refroidir. Préparez la vinaigrette aux herbes. Présentez-la à part en même temps que la terrine.

     un côtes de Provence rosé

Préparation :   30 mn
Cuisson :   40 mn

pour 6 personnes

800 g de courgettes
200 g d'oseille
100 g de beurre
5 biscottes
10 cl de lait
3 œufs
100 g de gruyère râpé
sel et poivre

■ Lavez les courgettes et supprimez les extrémités. Ne les pelez pas. Coupez-les en petits cubes. Faites bouillir un litre d'eau avec du sel dans l'autocuiseur, plongez-y les cubes de courgettes placés dans le panier de celui-ci. Verrouillez le couvercle et comptez cinq minutes à partir de la rotation de la soupape. Retirez ensuite le panier contenant les dés de courgettes, faites couler dessus l'eau froide du robinet pour les raffermir. Laissez-les s'égoutter.

■ Pendant la cuisson des courgettes, équeutez et lavez l'oseille. Faites-la fondre ensuite dans une sauteuse avec 80 g de beurre en remuant pendant cinq minutes environ jusqu'à ce qu'elle soit bien ramollie. Emiettez les biscottes dans un bol, arrosez-les avec le lait et laissez-les gonfler.

■ Beurrez copieusement une terrine. Allumez le four th. 6-200º. Cassez les œufs en séparant les jaunes des blancs. Mélangez dans un saladier : les dés de courgettes bien égouttés, l'oseille revenue au beurre, les biscottes trempées dans le lait puis exprimées, les jaunes d'œufs, le gruyère râpé, du sel et du poivre. Montez les blancs en neige ferme avec une pincée de sel. Incorporez-les à la préparation aux courgettes et versez le tout dans la terrine beurrée. Placez celle-ci dans un bain-marie et enfournez. Eteignez le four après trente minutes de cuisson et laissez la terrine reposer cinq à dix minutes dans le four jusqu'au moment de servir.

■ Cette terrine se sert chaude avec une viande rôtie. On peut également servir froids la terrine et la viande.

TERRINE AUX HERBES

TERRINE DE COURGETTES A L'OSEILLE

Préparation : 1 h
Macération : 5 à 6 h
Cuisson : 1 h 30

pour 8 à 10 personnes

500 g d'épaule de veau
400 g de maigre de jambon cru
et frais
500 g de gorge de porc
300 g de lard de poitrine frais
une crépine de porc
de la couenne de lard frais
6 oignons moyens
2 gousses d'ail
un petit bouquet de persil
2 jaunes d'œufs
3 c. à s. de crème épaisse
2 feuilles de laurier
sel et poivre

Pour la marinade :
une carotte, un oignon
une branche de thym
laurier et sauge
8 cl de cognac, 8 de porto
un peu de poivre concassé

■ Préparez la marinade : émincez la carotte et l'oignon dans une terrine, ajoutez les aromates, le poivre concassé et du sel. Mouillez le tout avec le cognac et le porto. Coupez le veau et le jambon en morceaux, mettez-les dans la marinade. Mélangez bien le tout et laissez macérer 5 à 6 heures en remuant de temps en temps.

■ Au moment de la préparation, mettez la crépine à tremper dans de l'eau fraîche. Coupez la gorge de porc en morceaux ainsi que le lard de poitrine avec sa couenne. Épluchez les oignons et l'ail, passez-les au mini-hachoir avec le persil pour obtenir un hachis très fin. Égouttez les viandes de la marinade, passez-les au hache-viande, muni de la grille moyenne, en alternant avec des morceaux de gorge de porc et de lard.

■ Mélangez intimement dans un grand saladier les hachis de viandes, d'oignons, d'ail et de persil. Ajoutez les jaunes d'œufs battus avec la crème et le jus filtré de la marinade. Assaisonnez.

■ Disposez dans le fond d'une terrine la lanière de couenne et une feuille de laurier. Remplissez avec la farce en tassant bien pour éviter les poches d'air. Posez la seconde feuille de laurier sur le dessus et recouvrez le tout avec la crépine bien épongée. Fermez la terrine et glissez à four chaud (th. 7 - 220°). Après 20 minutes de cuisson, abaissez cette température à four moyen (th. 5 - 180°). La cuisson est à point lorsque la graisse est devenue parfaitement limpide. Laissez refroidir le pâté quelques heures en le pressant avec une planchette surmontée d'un poids.

 un brouilly

Préparation : 30 m n
Cuisson : 1 heure

pour 4 personnes

600 g de steak haché
500 g de courgettes
250 g de riz longs grains
2 échalotes
un oignon
une gousse d'ail
un bouquet de persil
1 tablette de
bouillon de volaille
un demi-litre d'eau
60 g de beurre
200 g de comté ou
d'emmental râpé
sel et poivre moulu

■ Épluchez les échalotes et l'oignon, émincez-les finement. Faites fondre 20 g de beurre dans une petite sauteuse ou dans une casserole sur feu moyen, ajoutez les échalotes et l'oignon. Remuez-les jusqu'à ce qu'ils deviennent translucides. Laissez-les refroidir.

■ Pendant ce temps, lavez et essuyez les courgettes. Coupez-les en très fines rondelles. Préparez le bouillon avec les tablettes et l'eau. Épluchez la gousse d'ail, hachez-la menu avec le persil, à la moulinette ou au couteau.

■ Mélangez à la fourchette dans un saladier le steak haché, le hachis d'ail et de persil, les échalotes et l'oignon fondus au beurre, du sel et du poivre.

■ Allumez le four th 7-210°. Beurrez un plat à four, étalez au fond la moitié des rondelles de courgettes. Répartissez le riz dessus puis la viande et terminez avec les rondelles de courgettes. Arrosez le tian avec le bouillon, saupoudrez-le avec la moitié du fromage râpé et parsemez-le de petits morceaux de beurre. Couvrez le plat avec une feuille d'aluminium. Faites cuire le tian à four moyen, pendant 50 mn. Otez la feuille d'aluminium, saupoudrez le plat avec le reste du fromage râpé et remettez-le au four, juste le temps de faire gratiner.

■ On peut servir ce tian avec un coulis de tomates bien épicé.

 Ce plat de caractère méridional sera parfaitement accompagné d'un Corbières ou mieux d'un Fitou ●══ 14°

TERRINE DU CHEF

TIAN DE BŒUF AUX COURGETTES

Préparation: 30 mn
Cuisson: 30 mn

pour 8 personnes

400 g de pâte feuilletée,
prête à l'emploi
300 g de boeuf cuit
500 g de tomates
un oignon
une gousse d'ail
2 cuillerées d'huile
un bouquet garni
un oeuf + un jaune pour dorer
75 g de gruyère râpé
sel et poivre
Pour servir:
un bol de coulis
de tomates épicé

■ Préparez une fondue de tomates. Lavez, essuyez et coupez les tomates en petits quartiers. Epluchez l'oignon, émincez-le finement. Pelez puis écrasez la gousse d'ail. Chauffez l'huile dans une sauteuse et faites-y revenir doucement l'oignon en remuant. Ajoutez ensuite les quartiers de tomates et l'ail écrasé. Salez, poivrez. Mélangez et ajoutez le bouquet garni. Faites cuire sur feu assez vif en remuant fréquemment. Au bout de 20 mn, vous obtenez une purée épaisse.

■ Coupez le boeuf en dés. Beurrez un moule à manqué ou une tourtière. Etalez les deux tiers de la pâte feuilletée. Foncez-en le moule en laissant déborder la pâte tout autour d'un centimètre environ. Tapissez le fond de pâte avec les dés de boeuf.

■ Allumez le four th 7-220°. Battez l'oeuf en omelette avec sel et poivre. Retirez la fondue de tomate du feu, ôtez le bouquet garni puis incorporez-y l'oeuf battu en fouettant la préparation. Versez-la ensuite sur les dés de boeuf. Saupoudrez toute la surface de gruyère râpé. Etalez le reste de pâte et couvrez-en le moule en dépassant aussi d'un cm. Roulez les bords de la pâte ensemble. Faites un trou au milieu de la tourte et maintenez-le ouvert avec un morceau de papier d'aluminium roulé. Badigeonnez le dessus avec le jaune d'oeuf battu avec un peu d'eau. Enfournez et comptez 30 mn de cuisson à four chaud.

■ Servez chaud avec un coulis de tomates.

🍾 **un pécharmant**

Préparation : 1 h
Cuisson : 1 h 05 min

pour 6 à 8 personnes

500 g de pâte brisée
500 g de veau haché
100 g de lard fumé
7 œufs plus un jaune
1 kg d'épinards
1 échalote
1 gousse d'ail
2 cuillerées à soupe d'huile
20 g de beurre
100 g de crème fraîche
2 cuillerées à soupe de
persil haché
sel et poivre moulu
un cercle à tourtière, à fond
amovible, de 22 centimètres de
diamètre

■ Equeutez, puis lavez les épinards à grande eau. Egouttez-les et mettez-les dans une cocotte avec une cuillerée à coupe d'huile. Remuez-les sur feu moyen puis retirez-les lorsque leur eau de végétation s'est évaporée. Réservez-les. Faites durcir 6 œufs.

■ Pelez et hachez l'échalote et l'ail. Retirez la couenne du lard fumé et coupez-le en petits lardons. Faites chauffer une cuillerée à soupe d'huile avec le beurre dans une poêle. Ajoutez les lardons, l'échalote et l'ail hachés. Remuez-les sur feu moyen pendant 7 à 8 minutes pour les faire légèrement dorer. Ajoutez encore le veau haché, les épinards bien égouttés, du sel et du poivre. Remuez pendant 2 à 3 minutes puis laissez refroidir.

■ Pendant ce temps, étalez les deux-tiers de la pâte brisée sur un demi-centimètre d'épaisseur. Beurrez la tourtière, étalez-y la pâte en la laissant déborder de deux centimètres. Ecalez les œufs durs après les avoir rafraîchis sous le robinet d'eau froide. Préchauffez le four th. 7 - 210°.

■ Battez le dernier œuf dans un bol avec la crème fraîche, du sel et du poivre. Incorporez ce mélange à la préparation aux épinards, rectifiez l'assaisonnement. Versez la moitié de cette farce dans la tourtière, disposez dessus les œufs durs en couronne, recouvrez-les avec le reste de farce. Rabattez les bords de la pâte. Etalez le reste de pâte, découpez-y un cercle de pâte de 20 centimètres de diamètre. A l'aide d'un pinceau, badigeonnez les bords de la tourte de jaune d'œuf battu avec quelques gouttes d'eau froide. Posez le cercle de pâte, badigeonnez-le de jaune d'œuf et tracez des croisillons avec la pointe d'une lame de couteau. Ménagez au centre un petit trou que vous pouvez maintenir ouvert avec un petit papier d'aluminium plié en deux et roulé. Faites cuire la tourte pendant 45 minutes à four chaud. Baissez le thermostat si elle dore trop vite.

🍾 **Servie chaude, cette tourte s'accompagnera d'un vin rouge corsé, légèrement épicé comme par exemple le Fitou, ⚫━━ 16°.
Servie froide, préférez un Corbières ou un Minervois servis frais, ⚫━━ 12°.**

TOURTE AU BŒUF

TOURTE PASCALE AUX ŒUFS ET AUX EPINARDS

Préparation : 25 mn
Cuisson : 40 mn

pour 4 personnes

8 tomates bien rondes
3 oignons moyens
2 tiges de ciboule
150 g de lard de poitrine fumé
2 cuillerées à soupe de saindoux
une tasse à thé de chapelure
6 œufs
sel et poivre

Pour la cuisson :
5 cuillerées à soupe d'huile
chapelure

■ Lavez, essuyez les tomates. Coupez la partie supérieure de chacune d'elles en forme de calotte, évidez-les ensuite délicatement, à l'aide d'une petite cuillère. Salez-en légèrement l'intérieur et laissez-les dégorger.

■ Épluchez et hachez finement les oignons puis la ciboule. Coupez le lard en petits dés.

■ Faites fondre le saindoux dans une sauteuse, jetez-y les oignons émincés et les lardons. Laissez dorer ces éléments et retirez-les du feu avant qu'ils ne brunissent. Incorporez alors la chapelure, le hachis de ciboule, du sel et du poivre.

■ Cassez les œufs, assaisonnez-les, battez-les en omelette puis mélangez-les à la préparation précédente.

■ Allumez le four (th. 6, 200°). Huilez un plat allant au four.

■ Retournez les tomates pour les égoutter et remplissez-les avec la farce aux œufs qui doit être assez liquide. Remettez les calottes et rangez-les dans le plat. Saupoudrez le dessus des tomates d'un peu de chapelure puis arrosez-les avec le reste de l'huile. Glissez le plat à four moyen et comptez 30 minutes de cuisson.

■ Servez chaud, dans le plat de cuisson.

🍶 **un vin de table rosé**

Préparation : 25 mn
Cuisson : 45 mn

pour 4 personnes

8 tomates bien rondes
40 g de beurre
une tasse à thé de chapelure
sel et poivre

Pour la farce :
250 g de chair à saucisse
150 g de viande de veau haché
(ou un reste de viande cuite
ou de rôti)
4 oignons moyens
2 gousses d'ail
une grosse cuillerée
à soupe de persil haché
un petit bol de mie de pain
rassis légèrement humectée de
lait et bien pressée
un œuf (facultatif)
40 g de beurre

■ Coupez la partie supérieure de chaque tomate, évidez-les sans les abîmer à l'aide d'une petite cuillère, saupoudrez légèrement de sel, laissez-les dégorger.

■ Faites revenir les oignons finement hachés dans le beurre chaud, laissez blondir. Ajouter la chair à saucisse, le veau haché, faites-les également revenir en les émiettant à la fourchette et en les mélangeant aux oignons. Retirez du feu, ajoutez l'ail haché, le persil, la mie de pain, l'œuf battu ; s'il y a lieu, assaisonnez de sel et de poivre ; mélangez bien pour obtenir une farce fine et homogène. Emplissez-en les tomates après les avoir égouttées, saupoudrez-les de chapelure, placez-les dans un plat largement beurré et arrosez-les avec le reste de beurre fondu.

■ Faites cuire à four chaud (th. 7) 30 minutes environ. Servez dans le plat de cuisson.

TOMATES AU LARD

TOMATES FARCIES

Préparation:	20 mn
Cuisson:	25 mn

pour 4 ou 5 personnes

**8 ou 10 tomates moyennes
fermes et mûres
un verre de chapelure
un verre d'huile d'olive
3 gousses d'ail
3 échalotes
un petit bouquet de persil haché
une boîte de sauce poivronnade
(à défaut: sauce
à la tomate fraîche)
sel et poivre**

■ Hachez finement l'ail, les échalotes et le persil. Mélangez-les à la chapelure et incorporez l'huile d'olive à cette préparation, pour obtenir une pâte assez épaisse. Assaisonnez-la.

■ Allumez le four (th. 7, 235°).

■ Lavez les tomates, essuyez-les, coupez la partie supérieure et évidez-les légèrement à l'aide d'une petite cuillère. Garnissez-les avec la préparation à la chapelure.

■ Beurrez un plat allant au four dans le fond duquel vous verserez le contenu de la boîte de sauce poivronnade. Disposez les tomates dans ce plat et glissez-le au four.

■ Servez les tomates bien dorées et bien chaudes dès la sortie du four, dans leur plat de cuisson.

Préparation	1 h
Cuisson :	30 mn

pour 8 personnes

**un turbot de 2 kilos
800 g de soles
2 œufs
une petite botte de ciboulette
100 g de beurre
20 cl de crème fraîche
sel, poivre et noix de muscade
Pour la sauce :
une petite carotte, un oignon
quelques queues de persil
un brin de thym
20 cl de vin blanc sec
10 cl d'eau
10 cl de crème fraîche
100 g de beurre
une cuillerée à café bombée
de paprika
Pour servir :
épinards à la crème
quartiers de citron**

■ Demandez à votre poissonnier d'enlever l'arête centrale du turbot, de lever les filets de sole et de vous remettre toutes les arêtes et les parures. Faites fondre 20 g de beurre dans une casserole. Ajoutez les arêtes coupées en morceaux puis la carotte et l'oignon émincés, les queues de persil, et le thym. Laissez suer pendant 5 minutes puis mouillez avec le vin blanc et l'eau. Salez, poivrez. Faites réduire de moitié sur feu moyen.

■ D'autre part, coupez les filets de sole en morceaux, mettez-les dans le bol du mixer. Ajoutez les œufs entiers et la ciboulette émincée. Mixez pour bien mélanger le tout. Ajoutez encore 20 cl de crème très froide, une cuillerée à café de sel, du poivre et une pincée de noix de muscade râpée. Mixez encore un instant pour obtenir une farce homogène.

■ Allumez le four th. 7-210°. Salez et poivrez l'intérieur du turbot et remplissez-le de farce. Beurrez la lèchefrite et posez-y le turbot. Faites fondre le reste de beurre. Badigeonnez le poisson avec un pinceau trempé dans le beurre fondu. Salez-le et poivrez-le. Enfournez et comptez 25 à 30 mn de cuisson en arrosant plusieurs fois le poisson de beurre fondu.

■ Pendant ce temps, préparez la sauce. Passez le fumet de poisson au chinois. Versez le jus obtenu dans une casserole et portez à ébullition. Ajoutez ensuite la crème fraîche et faites bouillir jusqu'à ce que la sauce épaississe. Mélangez dans un bol le reste de beurre ramolli avec le paprika. Montez la sauce au fouet, en incorporant ce beurre par petites parcelles, à la préparation précédente, évitez l'ébullition. Rectifiez l'assaisonnement.

■ Retirez le turbot du four. Glissez-le à l'aide de deux spatules sur un plat de service chaud. Nappez le fond de celui-ci avec la sauce ou présentez-la à part en saucière. Servez le turbot bien chaud avec des épinards à la crème et des quartiers de citron saupoudrés de paprika.

🍾 un bourgogne blanc racé et évolué :
Corton-Charlemagne ou Puligny-Montrachet, ●━━ 8-10°

TOMATES «MIRETTE»

TURBOT SOUFFLÉ A LA CRÈME DE PAPRIKA

Imprimé en Italie - Grafica Editoriale spa - Bologna